Yellow Cab

Pour Dominique,

Bienvenue dans
mon taxi jaune
A bientôt à
New York, Paris
ou ailleurs !
Michel
fm.

Benoit Cohen

# Yellow Cab

Flammarion

Pour la citation p. 201-202 :
Joël Pommerat, *Théâtres en présence*
© Actes Sud, 2007

© Flammarion, 2017.
ISBN : 978-2-0814-0796-1

*À Éléonore*

« Se faire de nouvelles promesses. Se promettre de ne plus recommencer. Aller son chemin. Ne pas écouter les conseillers attentifs, les conseillers pleins de sollicitude. Se méfier de toutes les certitudes. Continuer à avoir peur, être inquiet, ne jamais être sûr de rien. S'inquiéter du respect et se garder de la fausse insolence. Haïr la parodie. Se souvenir. Ne jamais oublier de tricher. Dire la vérité et ne plus s'en vanter. Abandonner les voies rapides et suivre les traces incertaines. Parfois aussi, de temps à autre, s'arrêter, ne plus rien faire et ne pas même affirmer que ce fût pour réfléchir. Prendre son temps. Ricaner dans les moments inopportuns. Sourire avec douceur. Ne pas être, jamais, efficace, renoncer. Lutter contre les médiocres. Résister. »

Jean-Luc Lagarce

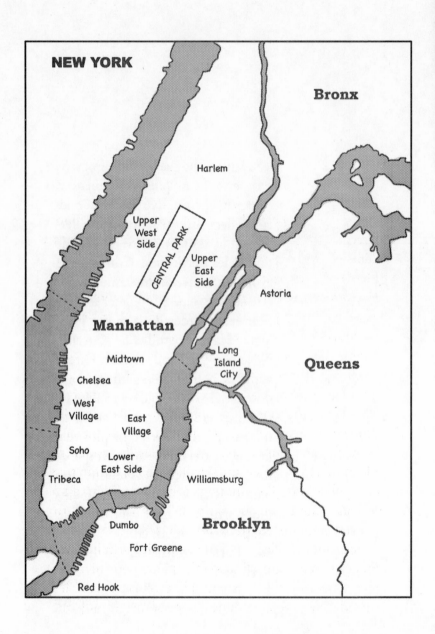

Un soir, en sortant d'un restaurant de Fort Greene, le quartier de Brooklyn où nous avons déménagé un an plus tôt, nous marchons avec Éléonore dans l'air doux du printemps le long des *brownstones*. Elle s'inquiète de me voir moins actif que d'habitude. J'ai passé deux décennies à enchaîner les films et les séries, et, pour la première fois, j'ai besoin de prendre du temps. J'ai même, par moments, l'envie de faire complètement autre chose, un métier concret qui me permettrait de m'immerger dans la culture américaine pour vivre cette nouvelle expérience pleinement. Je pourrais être serveur, barman, chauffeur de taxi… Chauffeur de taxi, entre Éléonore et moi, c'est une vieille blague ; admirative de mon sens de l'orientation, elle m'a toujours dit : « Si un jour tu en as marre de faire des films, tu pourras toujours conduire un taxi. »

Soudain une idée : et si on racontait l'histoire d'un Français venu aux États-Unis pour poursuivre le rêve américain ? Un acteur qui évoluerait dans les rues de New York comme les personnages qui ont été ses modèles ? Mais au bout de quelque temps, son rêve se transforme en cauchemar. Rattrapé par la réalité, notre héros doit gagner sa vie tout en continuant à courir les castings sur Broadway. Il décide alors de devenir chauffeur de taxi, tout en bas de l'échelle sociale américaine, et découvre l'envers du décor.

Et si pour écrire cette histoire de l'intérieur, je passais ma licence et devenais moi-même chauffeur de *yellow cab* ? Nous sommes pris d'un fou rire. Idée folle ! Formidable !

*Jeudi 4 juin 2015*

*Yellow cab driver*! Le *yellow cab* c'est l'essence même de New York. Le *yellow cab* c'est le cinéma, c'est *Taxi Driver*, c'est De Niro, Scorsese. C'est Jarmusch, c'est *Breakfast at Tiffany's*, *The Game* de Fincher, Brando dans *Sur les quais*, James Cagney, Audrey Hepburn, Ben Gazzara, Benny the Cab... C'est une fenêtre sur la folie, l'énergie, la diversité et la violence de cette ville.

J'allume mon ordinateur et tape dans mon moteur de recherche : « Comment devenir chauffeur de taxi à New York ? ». Sur l'écran, ça a l'air simple. Je dois m'inscrire dans une école spécialisée, valider un minimum de 24 heures de cours, passer un examen écrit et faire un test qui prouve que je ne consomme pas de drogue. Coût moyen : 500 $. Je contacte l'école la plus proche de chez moi et prends rendez-vous pour la semaine suivante. C'est parti.

Par curiosité, je me renseigne sur la démarche à suivre pour conduire un taxi à Paris. La formation en France dure en moyenne quatre mois et les examens sont beaucoup plus compliqués : maîtrise de la langue française, connaissance des réglementations locales, mémorisation d'adresses, connaissance des monuments et des bâtiments publics, cours de gestion, examen de conduite... Le tout pour environ 2 000 €.

*Mardi 9 juin 2015*

Je prends la ligne G jusqu'à son terminus dans le Queens. Au milieu d'une avenue sans charme se dresse un petit immeuble décrépit. Au premier étage, une salle d'attente remplie en grande majorité de Noirs, d'Arabes et d'Hindous. La plupart en jean baskets. Quelques exceptions : un type en costard cravate, un vieux Sikh turban sur la tête, un jeune Africain sapé... Tous parlent anglais avec un accent à couper au couteau. Pas une femme !

La seule présente dans la pièce se trouve derrière le comptoir. Elle est visiblement d'origine indienne, s'exprime elle aussi avec un fort accent, de manière très autoritaire. Elle doit répondre à cinquante questions à la fois. Je comprends que je devrai, en plus des cours de géographie et de réglementation, assister à un cours de *wheel chair* pour apprendre à fixer un fauteuil roulant dans un taxi (3 heures – 60 $).

Je me glisse dans un bureau pour essayer d'obtenir plus d'informations. Christian me reçoit. Il est petit, enrobé et très efféminé. Il porte un polo multicolore et un short à franges moulants. « Tu es le *French*

*Man* ». Apparemment mon appel n'est pas passé inaperçu. Un Français chauffeur de *yellow cab*, ils n'ont pas vu ça depuis des décennies… Derrière lui, punaisé au mur, un poster de *Taxi Driver*. Christian me dit qu'il faut que je commence par prendre un cours de *defensive driving*. Il faudra ensuite que je dépose un dossier au TLC : *Taxi & Limousine Commission*, à ne pas confondre avec *Tender, Love & Care*.

Je retourne dans la salle d'attente. La réceptionniste est en train de s'embrouiller avec un jeune type au look de rappeur qui n'a pas assez d'argent pour régler les 60 $ de la *wheel chair class* et qui demande à être remboursé de tout ce qu'il a déjà payé. Il dit : « Je parle parfaitement anglais. » Elle répond : « Moi aussi, je parle parfaitement anglais ». On sent que la maîtrise de la langue est un enjeu important ici.

Une fois qu'il a quitté la pièce (sans avoir été remboursé), la réceptionniste se remet à répondre aux questions et à enregistrer les inscriptions. Elle appelle tout le monde « *Brother* ».

À 10 h 30, je rejoins la salle 2D. Trois apprentis chauffeurs essaient sans grand succès de fixer un fauteuil roulant sur une plaque métallique posée au milieu du couloir. Je m'installe dans la classe sur une chaise en plastique à pupitre et attends. Pièce sans fenêtre. Éclairage au néon. Murs jaunes et sales.

L'instructrice arrive. Contre toute attente, elle aussi est française. Hippie d'une cinquantaine d'années, elle porte une robe à fleurs, de longs cheveux bouclés et des lunettes en plastique jaune. Elle vit dans le Queens depuis plus de vingt ans mais a conservé un très fort accent.

Elle commence son cours en nous rappelant les cinq lois de la conduite à New York :

1- Visez haut
2- Ayez une vision panoramique
3- Gardez les yeux en mouvement
4- Ayez toujours une solution de repli
5- Faites en sorte qu'on vous voie, tout le temps

Elle explique comment réagir quand on a un PV et qu'on risque de prendre des points de pénalité. Ici on ne perd pas de point, on les gagne, c'est l'Amérique. Elle poursuit : dès la première infraction, il faut tout de suite engager un avocat et faire durer le processus le plus longtemps possible pour pouvoir continuer à conduire pendant ce temps-là.

Je pensais que la *defensive driving class* était un cours d'autodéfense en cas d'agression dans son taxi mais il s'agit en fait de prévention et d'information pour récupérer des points. La plupart des participants sont d'ailleurs déjà chauffeurs.

Elle explique aussi que la manipulation de tout objet électronique est interdite lorsque le taxi est en mouvement. Elle ajoute qu'en plus d'être dangereux, l'utilisation du portable est irrespectueuse par rapport aux passagers. Pour illustrer son propos, elle se lance dans une imitation hilarante d'une serveuse de restaurant qui prendrait une commande en téléphonant en même temps. Rires nourris.

Elle nous met en garde : les flics n'aiment pas les chauffeurs de taxi. Ils pensent que ce sont de terribles conducteurs et passent leur temps à essayer de les mettre hors d'état de nuire en les pénalisant financièrement. Elle raconte que ça n'a pas toujours été le cas. Au milieu du XX<sup>e</sup> siècle, les policiers n'avaient pas assez de véhicules à leur disposition et se servaient régulièrement des taxis pour poursuivre les criminels. « Suivez cette voiture ! »

Un type dans l'assistance, grande gueule, genre hispano avec de longs cheveux frisés, chauffeur depuis vingt-six ans, commente tout ce que dit l'instructrice. À côté de lui, un Black new-yorkais, looké, fringues de sport et Nike neuves, petit mais baraqué, lève régulièrement les yeux au ciel. Au bout d'un moment, il se tourne vers lui et dit : « Tu vas la fermer ta gueule ! » Moment de tension, les deux se jaugent puis éclatent de rire avant d'échanger un *check*.

Pause déjeuner. En face de l'école, il y a un petit bar très Brooklyn, bio branché, *organic,* probablement le seul du coin. En temps normal, j'aurais déjeuné là, ou à la cafétéria du PS1, annexe du MoMA (Musée d'art moderne) de Manhattan, mais je suis dans mon rôle et je la joue *cab style.* J'achète un *chicken kebab* au marchand ambulant du coin de la rue et m'installe sur un banc avec les autres « élèves ».

Je parle avec le type assis à côté de moi. Il habite à 500 kilomètres de New York et conduit un taxi depuis quinze ans. Il vient quatre jours par semaine, gagne le plus d'argent possible et rentre chez lui retrouver sa femme et ses enfants.

De retour dans la classe, embrouille entre un gros Black avec des dreadlocks et un vieux roux, genre de Woody Allen polonais un peu cramé. Le Black reproche à l'autre de brancher son téléphone derrière lui et de l'exposer à des radiations. « Les gens de ton espèce n'ont aucun respect.

— Je sais pas de quoi tu me parles, mec. »

Pour convaincre les chauffeurs qu'il ne faut pas jouer avec le feu et ne pas prendre le risque de perdre leur licence, l'instructrice nous dit : « Vous n'avez pas de chance ; si vous aviez de la chance, vous ne seriez pas chauffeurs de taxi. »

Elle enchaîne en prenant comme exemple le type à la grande gueule : « Ça c'est vous après vingt-six ans. Vous devenez un cas pathologique. Vous en avez un bel exemple sous les yeux. »

La journée se termine par la projection d'une série de petits clips réalisés par la sécurité routière. Contrairement aux films sanglants montrés en France lors des stages de récupération de points, ceux-ci sont de vrais mélos avec musique sirupeuse, figurants éplorés, et des titres comme *La Perte du père* ou encore *Presque arrivé*. Le dernier est présenté par Miss America 2014. Elle est assise sur une barrière en bois le long d'une route de campagne, écharpe multicolore en travers du torse et diadème rutilant au sommet du brushing. Elle regarde le spectateur droit dans les yeux et explique qu'elle ne serait jamais arrivée là où elle est si elle avait eu la malchance de croiser un conducteur alcoolisé sur sa route.

En conclusion, la prof nous rappelle qu'il faut faire attention à ne pas écraser les chiens et les chats, qui font partie de la famille dans ce pays.

En sortant de la classe, je me fais alpaguer par une des femmes du bureau : « Cohen ! » Elle se met à me parler en hébreu mais, devant mon incompréhension, enchaîne en français. Elle est algérienne, petite, mince, avec des cheveux longs, raides, très noirs. Elle s'appelle Fatima, semble intriguée de me voir là. Elle me demande si j'ai déjà passé ma visite médicale. Pas au courant. Elle me donne le numéro d'une amie qui ne me prendra « que » 50 $ pour remplir l'attestation. Elle me dit qu'il faut aussi que je transforme ma *driving licence* Class D en Class E. J'espère qu'il n'y aura pas de test supplémentaire. J'ai déjà dû repasser mon permis de conduire en arrivant aux États-Unis. Au bout de trois mois sur le sol américain, notre archaïque bout de papier rose n'est plus valable. Quand je suis allé au bureau du DMV (*Department of Motor Vehicles*) pour me renseigner sur les modalités, la femme derrière le comptoir m'a demandé si je voulais passer le code tout de suite. Je lui ai répondu que je n'étais pas prêt, que je n'avais pas encore eu le temps de réviser. Elle a éclaté de rire et m'a dit que cela n'avait aucune importance. Elle m'a tendu un formulaire cartonné et un crayon à papier. Perplexe, je me suis installé dans un coin, sur une chaise bancale, et j'ai commencé à cocher les cases, plus ou moins au hasard. Cinq minutes plus tard, j'ai rendu ma copie et, comme prévu, j'ai été recalé. La femme m'a alors donné un autre formulaire. Je suis resté là comme un con, sans comprendre. Elle m'a expliqué que j'avais le droit de recommencer, dans la foulée, et ce jusqu'à deux fois par jour. J'ai donc retenté ma chance et, contre toute attente, j'ai réussi. 16/20. *Lucky me !*

Je sors de l'école et reprends le métro en direction de mon quartier gentrifié tandis que mes collègues se dirigent dans le sens opposé, vers Jackson Heights, au nord du Queens. La plupart des chauffeurs de taxi habitent dans cette partie de la ville où sont parlées plus de 167 langues. Je repense à cette journée passée au milieu de tous ces hommes. Pas une « chauffeuse ». Et si justement mon personnage principal était une femme ? Une Blanche parmi les Pakistanais, les Indiens, les Africains. Une étrange étrangère en terre inconnue. L'idée se précise au fil des stations, 21st Street, Greenpoint, Nassau…

De retour à la maison, je me sers un verre de vin de Sicile et rejoins Éléonore sur la terrasse. Hâte de lui raconter ma journée et de lui parler de ce nouveau rôle que je viens d'imaginer pour elle.

Nous nous sommes rencontrés il y a vingt-sept ans. Lycéenne, elle s'était invitée dans un voyage linguistique à Venise, alors qu'elle étudiait l'allemand. J'étais, pour ma part, en première année d'architecture. Mon ancienne professeure d'italien m'avait demandé d'être accompagnateur. Voyage tous frais payés sur la lagune. Le premier souvenir qu'Éléonore garde de moi est celui d'un grand chevelu engoncé dans un duffle-coat noir n'arrêtant pas de se moucher en parlant de Bergman et Tarkovski. Elle n'avait pas tout compris mais m'avait trouvé sympathique. Peu de temps avant, elle avait rencontré son premier amoureux et n'avait pas l'esprit libre. Nous avions pourtant passé les trois jours suivants, inséparables, à arpenter les ruelles le long des canaux. De retour à Paris, nous avions échangé nos numéros de téléphone mais ne nous étions jamais rappelés.

Chaque année, au moment de changer d'agenda, je reportais son nom et ses coordonnées en me disant à chaque fois : « J'aimais bien cette fille. » J'ai appris plus tard qu'elle faisait la même chose de son côté.

Entre-temps, j'ai arrêté mes études d'architecture et me suis mis à la photo, tout en rêvant secrètement de devenir un jour cinéaste. Puis je suis tombé sur cette phrase de Jean-Luc Godard : « La photo c'est la vérité, le cinéma c'est vingt-quatre fois la vérité par seconde », et j'ai décidé de sauter le pas. Je suis parti étudier la mise en scène à NYU (New York University) et en suis revenu avec un premier court-métrage. Dans la foulée, j'ai créé ma société de production : Shadows Films, en hommage à John Cassavetes et Aki Kaurismäki. Peu de temps après avoir installé mes bureaux à Paris, dans un sous-sol de la rue Froidevaux, j'ai reçu un scénario intitulé *Quand on n'a que l'amour*, accompagné d'une lettre très formelle en bas de laquelle était écrit : « Si vous êtes le Benoit Cohen de Venise, tournez la page. » C'était Éléonore. Sept ans plus tard.

Nous nous sommes revus. Je n'ai pas produit son film, mais elle a travaillé sur mon premier long-métrage, *Caméléone*. Le hasard ayant voulu qu'elle soit en train de rédiger un mémoire sur Cassavetes alors que je cherchais quelqu'un pour coacher Seymour Cassel en français, un de ses acteurs fétiches. Quelques mois plus tard, notre histoire d'amour a commencé. Depuis, nous nous sommes mariés, avons eu deux enfants et n'avons jamais arrêté de faire du cinéma ensemble.

*Mercredi 10 juin 2015*

Je me réveille aux aurores. Impatient de régler les détails administratifs et de rentrer dans le vif du sujet.

Je commence par les bureaux de la Direction des Véhicules Motorisés. C'est un immense hangar au milieu d'un centre commercial d'Atlantic Avenue. Faune hétéroclite de Brooklyn, Blacks, Sikhs, hipsters, obèses, Juifs orthodoxes, Latinos viennent là pour passer leur permis, payer leurs PV, changer leur pièce d'identité, souscrire à une assurance... Une heure et demie d'attente. 40 $. Personne ne te pose de questions. Tu paies, tu as ton nouveau permis.

Dans la foulée, je prends le métro au Barclays Center. Ligne R direction Bay Ridge, quartier populaire du sud de Brooklyn. De grandes avenues bordées de petites maisons toutes identiques, à perte de vue. Dans l'une d'elles, le cabinet médical du docteur Laila Farhat. Une minuscule salle d'attente très basse sous plafond, remplie de femmes voilées. Un seul homme. Un jeune Arabe qui vient lui aussi pour le TLC. Examen express. Tension. Poids. Taille (La paterne est trop petite pour moi. Au jugé, elle note 6.2 *feet*). 50 $ cash. En sortant le type m'interpelle. Il me dit qu'il veut bosser pour Uber. Du coup, il n'est pas obligé de passer l'examen des *yellow cab*. Il a obtenu son permis américain en faisant croire qu'il habitait dans le New Jersey (pas besoin de repasser la conduite là-bas), il est allé voir des compatriotes marocains dans une école de taxis du Bronx (Casablanca Taxi School) qui ont validé son *Defensive*

*Class Certificate* moyennant 40 $ sans qu'il le passe. Système D ! Il a décidé de devenir chauffeur pour ne plus avoir de patron et travailler quand il veut. Et puis c'est beaucoup moins éprouvant que les autres boulots qu'il a dû faire depuis son arrivée aux États-Unis il y a six mois. Il me montre l'intérieur de ses deux bras, couvert de brûlures : il vient de passer le week-end à cuire des crêpes, seize heures par jour, pour 8 $ de l'heure ! Il a travaillé pour des Chinois, des Arabes, des Juifs, des Polonais, et me met en garde : « Ne travaille jamais pour les Arabes. »

*Jeudi 11 juin 2015*

Certificat médical et nouveau permis en poche, je pars déposer mon dossier à la Taxi and Limousine Commission. Je prends la G jusqu'au terminus, puis la 7, le métro aérien qui traverse le Queens. Sur le quai, une affiche attire mon attention : « *JOIN THE NYPD* ! » S'engager dans la police new-yorkaise, une autre idée ? ! Une autre vie.

J'arrive à destination vers 10 h 30 et tombe sur un attroupement dans la rue, comme une manifestation. Je comprends que ce sont d'autres candidats qui viennent, comme moi, déposer leur dossier. La file d'attente s'étire sur plus de deux *blocks*. J'hésite, puis décide de me mettre dans la queue. Au bout d'une demi-heure, alors que je n'ai quasiment pas bougé, un agent de la sécurité vient nous prévenir qu'il y a au moins huit heures d'attente et qu'il vaut mieux revenir le lendemain. Ouverture des portes à 7 heures du matin.

J'ai du mal à imaginer, en regardant cette foule de futurs *taxi drivers,* qu'il y aura du boulot pour tout le monde. Pourtant plus de 13 000 taxis circulent dans New York et on tombe sur des pancartes « *DRIVERS WANTED* » à tous les coins de rue.

Sur le chemin du retour, je repasse voir Fatima pour m'inscrire à la formation de trois jours qui commence le lundi suivant. Je lui explique l'émeute devant le building du TLC. Elle me conseille d'y retourner à 5 heures du matin pour être sûr d'être reçu. Elle me vend ensuite un package comprenant une carte de New York, des *flash-cards* pour réviser, un bouquin sur le règlement des taxis jaunes, les 24 heures de cours, un test blanc et l'examen final, pour la modique somme de 325 $. Premiers frais de production.

Dans le métro, sur le chemin du retour, je fais le calcul : *Defensive Driving Class* 60 $, Nouveau permis 40 $, Visite médicale 50 $, *Wheel Chair Class* 60 $, Pack 24 heures + Test 325 $. Il me faudra donc gagner 535 $ avant de commencer à empocher mon premier dollar de bénéfice.

*Vendredi 12 juin 2015*

Mon réveil sonne à 4 heures du matin. Je saute dans un jean et me dirige vers le métro. Je me retrouve dans la rame, entouré d'ouvriers assoupis sur leur banquette. Le soleil se lève sur le Queens.

Il est 5 h 30 lorsque j'arrive au TLC. Il y a déjà une dizaine de personnes qui font la queue.

L'ambiance est assez détendue. Tout le monde se parle. Chacun raconte ses mésaventures. Certains sont déjà venus quatre ou cinq fois. Papier manquant, panne informatique... Je revérifie que j'ai bien tous mes documents.

J'apprends que le premier type de la file est là depuis 3 heures du matin. Derrière lui deux Blacks, les premières femmes que je vois depuis le début de mes démarches. Elles ont chacune apporté une chaise pliante et discutent en buvant un café. Un petit malin a installé un stand en face de l'immeuble, proposant boissons chaudes et pâtisseries. Pour moi ce sera *black coffee* et cake au citron.

À 7 heures, les portes s'ouvrent et on appelle ceux qui ont un *return ticket* (ceux qui ont fait huit heures de queue la veille et n'ont pas pu rentrer). Une cinquantaine de types me passent devant. J'arrive finalement au guichet à 8 h 30. Un grand Black baraqué, devant moi, s'énerve parce qu'il s'est fait recaler, son permis de conduire étant suspendu. Les agents de la sécurité le raccompagnent gentiment vers la sortie. Je m'avance et tends mes documents. Le guichetier jette un coup d'œil rapide à mon permis et me dit que je dois revenir en septembre. *What the fuck ! ? ! ?* Mon permis est toujours *on probation* (à l'essai pour une durée de six mois). « OK, j'ai passé mon permis ici en mars mais ça fait plus de vingt-huit ans que je conduis en France.

— Ça n'a aucune valeur. »
Fin de la discussion.

Je repars, dépité. Je ne pourrai pas déposer mon dossier avant deux mois.

En sortant, j'appelle Fatima, mon ange gardien, qui me propose de venir lundi assister à un cours pour me faire une idée du niveau de l'examen. J'aurai éventuellement la possibilité de passer au forfait de cinq jours si cela me semble trop difficile (500 $, ben voyons). J'apprends par la même occasion que mon certificat médical n'est valable qu'un mois. Il faudra que je le refasse faire en septembre (*And the winner is... Dr Farhat*!).

Il faudra que mon héroïne trouve un petit boulot en attendant ou qu'elle mange des hot-dogs à 2 dollars pendant quelques semaines !

## Lundi 15 juin 2015

Je décide de suivre les conseils de Fatima et me présente au cours de géographie dès la semaine suivante.

J'arrive dans la salle à 8 h 30. Il n'y a que des Indiens et des Pakistanais qui parlent un mélange d'anglais et d'hindi. Ils échangent leurs impressions sur l'utilisation du GPS.

L'instructeur se présente avec une demi-heure de retard. C'est un cowboy d'une cinquantaine d'années qui mâche un chewing-gum. Il porte un jean, des santiags et une montre de sport massive. Le trousseau de clés qui est accroché à sa ceinture en peau de serpent tinte à chacun de ses mouvements. Il fait son show, harangue les élèves, d'une façon à la fois autoritaire et hilarante.

Il commence son cours par une présentation de l'examen final. Celui-ci se divise en trois parties :

• Un test d'anglais : compréhension orale d'adresses new-yorkaises, compréhension écrite et orale d'un texte.

• Un test de géographie : une série de questions sur la géographie de la ville. Bonne nouvelle : l'utilisation de la carte est autorisée pendant cette partie du test. J'avais du mal à imaginer comment apprendre par cœur toutes les rues, avenues, ponts et quartiers de Manhattan, de Brooklyn, du Queens, du Bronx et de Staten Island ! Avec la généralisation de l'utilisation des GPS, la loi a changé depuis janvier dernier. Alléluia !

• Un test sur les *taxi rules*, les règles du bon petit chauffeur. C'est la partie la plus complexe. Une sorte de Code en plus compliqué.

Un type arrive avec une heure de retard. L'instructeur demande aux élèves : « À quelle heure commence la classe ? » et tout le monde doit répondre en chœur : « 8.30 ». Un autre type arrive avec deux heures de retard. Même punition avec un petit supplément quand le gars signe la feuille de présence de la main gauche, ce qui n'échappe pas à l'instructeur : « Tu es gaucher. Tous les serial killers sont gauchers ! » Rire général. Et il ajoute : « Je sais de quoi je parle, je suis moi-même gaucher. » Redoublement des rires.

Il demande ensuite à chaque participant de lire à haute voix une page de l'atlas géographique. Certains types savent à peine déchiffrer l'anglais. Les accents sont inimaginables.

À chaque question, la personne doit répondre le plus fort possible, comme à l'armée. L'instructeur gueule systématiquement : « Je ne vous entends pas ! »

Pause déjeuner. *Chicken kebab.* J'y prends goût. De retour en classe, l'instructeur fait l'appel façon *Good Morning Vietnam.* Il demande à chacun : « Comment s'est passé ton déjeuner ? » Un des élèves manque à l'appel. Il sort dans le couloir et gueule son nom plusieurs fois. Le type arrive en courant. Le cours sur la géographie new-yorkaise redémarre. À l'aide d'un quadrillage dessiné au feutre sur le tableau blanc de la classe, on apprend les prolongations des principales avenues en dessous de Houston Street et au-dessus de la 110ᵉ Avenue. J'adore cette plongée dans les artères de la ville qui, je l'espère, n'auront bientôt plus de secrets pour moi.

Le prof continue son show. Il demande combien il y a de Broadway à Manhattan. « Trois ! » Il lève ses trois doigts du milieu et commence à énoncer méthodiquement : « West Broadway ». Il replie son index. « East Broadway ». Il replie son annulaire. Et tend bien haut son majeur en notre direction : « Et Broadway ! » Il recommencera ce petit jeu plusieurs fois dans la journée avec toujours autant de succès. « Combien de Villages ? Trois ! West Village, East Village et Greenwich Village. »

*Dimanche 21 juin 2015*

À l'occasion de la fête des pères, que tout le monde me souhaite, de la caissière du supermarché à la conductrice du métro, nous avons décidé d'aller dîner en famille chez Uncle Boons, restaurant thaïlandais en vogue de Nolita. Après deux cocktails, je me jette à l'eau et annonce aux enfants, Philomène, 17 ans, et

Aurélio, 15 ans, mon intention de devenir chauffeur de taxi. Je leur précise que c'est dans l'optique d'un projet de film. Ma fille croit à une blague puis, quand elle se rend compte que je suis sérieux, se met à faire la gueule. Tout se mélange dans sa tête : « Je ne comprends rien, il y a un mois tu voulais faire un polar. C'est chiant, vous changez tout le temps de projets. » Et puis, ça va être la honte par rapport à ses copines. Elle n'assume pas du tout l'idée que son père soit *yellow cab driver*. « T'imagines si tu tombes sur quelqu'un de l'école ! » On rit avec Éléonore et on essaie de lui expliquer qu'au contraire, ce serait très drôle. Et puis que, de toutes les manières, il faut bien payer son université… ! Ça ne la fait pas rire. Mais je la connais, je sais qu'elle finira par voir l'intérêt de l'aventure et que je serai bientôt sur son Instagram au volant de ma vieille Ford jaune. Aurélio, comme d'habitude, n'a rien dit, même si on le sent décontenancé lui aussi. Avec son flegme légendaire, il conclut : « C'est génial, on va devenir de vrais Américains. Moi je veux être vendeur de hot-dogs. »

*Juillet 2015*

Voyage en France. Je me surprends, pour la première fois, à me sentir comme un touriste à Paris.

Je raconte à mes amis, à ma famille, ma décision de devenir chauffeur de taxi. La plupart adorent l'idée, quelques-uns semblent dubitatifs. Ma mère ne sait pas trop quoi en penser. Elle s'habituera.

Nous finissons les vacances par un séjour en Sicile, où je m'achète une casquette de vieil Italien. Premier accessoire pour mon « *Director's Studio* ».

De retour à New York. L'officier de l'immigration m'interroge sur la durée et les raisons de mon voyage. « Un mois. Vacances. » Il éclate de rire. Personne ne prend un mois de vacances ici. Il m'avoue qu'il aimerait bien pouvoir partir rien qu'une semaine et conclut par « Welcome home ! ».

Dans le taxi qui nous ramène vers Brooklyn, j'engage la conversation avec le chauffeur. Je lui raconte que je suis sur le point de passer ma licence. Il me regarde deux fois rapidement du coin de l'œil (*double take* comme on appelle ça au cinéma) et me dit dans un anglais très approximatif : « Ne faites pas ça. »

*Août 2015*

Je trépigne. Encore quelques semaines avant de pouvoir attaquer les cours. Pour passer le temps, je regarde des films : *Taxi Téhéran* de Jafar Panahi, *Taxi* de Carlos Saura, *Night on Earth* de Jim Jarmusch, *Taxi* de Roy del Ruth avec James Cagney, *Collateral* de Michael Mann… et bien sûr l'incontournable *Taxi Driver*. Fin août, je me blesse en jouant au foot. Mon genou double de volume et je dois rester plusieurs jours allongé. La tuile. J'espère ne pas avoir à me faire réopérer du ménisque. Ça repousserait de plusieurs mois mon projet.

*Mardi 15 septembre 2015*

Mon genou a dégonflé.

C'est la rentrée des classes des enfants. La mienne aussi. Sacoche en bandoulière, je prends la ligne G en direction du Queens pour recommencer les cours. En arrivant sur place je constate que la quantité de candidats a augmenté pendant l'été. La réception est bondée. Je me fraie un chemin jusqu'au bureau de Fatima qui m'accueille par un « Ah Benoît, viens ici » très chaleureux. Elle me propose de passer un test blanc, juste après les deux jours de cours qu'il me reste, et l'examen final la semaine suivante. Si je réussis je devrais pouvoir me mettre à conduire d'ici à une dizaine de jours. Elle me dit que son mari a un taxi, qu'il habite à Brooklyn et qu'il cherche un chauffeur pour le *day shift*. « C'est mieux que les garages, tu sais. Les voitures là-bas sont en très mauvais état. Si tu ne connais pas le dispatcheur, tu es sûr d'avoir la pire. Si tu es d'accord, je dis à mon mari de t'attendre. » Banco. Ça me permettra de commencer en douceur sans avoir à faire la queue à 4 heures du matin et à devoir louer mon taxi au jour le jour sans jamais être sûr d'en obtenir un. Elle me donne son numéro de portable et me demande de l'appeler Faty dorénavant.

Je me dirige alors vers la salle 2C pour mon cours de *Taxi Rules*. Je m'installe à côté de deux Sénégalais qui parlent en français, persuadés que personne ne les comprend. Ils se racontent leurs galères en éclatant de rire, à l'africaine. La salle est aujourd'hui composée d'un Ukrainien (tout le monde l'appelle le Russe, mais il rectifie fermement), un jeune musulman barbu en djellaba qui répond au nom d'Islam, un roux d'une trentaine d'années, genre hipster crade, et un vieux Mexicain accompagné de sa fille qui lui sert d'interprète.

31

Les Africains s'embrouillent avec l'Ukrainien sur le nom des rues qui traversent Central Park. On se croirait dans une cour d'école.

L'instructeur arrive. Il est grand, maigre, légèrement efféminé, la bonne cinquantaine et les cheveux en brosse. Il marque au tableau : David Burher, TLC#5090519. Avant de commencer le cours par l'apprentissage de l'utilisation d'un compteur de taxi, il fait l'appel (… Babacar, Cohen, Islam…) et nous raconte d'où il vient : après avoir fait le Vietnam, il est rentré en Floride pour construire des ponts. En 2001, sa femme et lui ont décidé de venir vivre à New York sur les conseils de John, leur meilleur ami, chanteur d'opéra. Pour gagner sa vie, David a eu l'idée de devenir chauffeur de taxi. À l'époque l'examen était beaucoup plus compliqué qu'aujourd'hui. Il fallait connaître sur le bout des doigts la géographie des *five boroughs*, Manhattan, Brooklyn, Queens, Bronx et Staten Island. Il se souvient de la question n° 32 de son examen : « Quelle rue délimite le Bronx à l'ouest ? » Sueur froide. Il a travaillé dur et a réussi le test. Il se rappellera toujours de son premier jour. Vers 5 heures du matin, il est allé chercher une voiture dans un des nombreux garages du Queens. Après plusieurs heures d'attente, il a réussi à obtenir un véhicule, et puis, baptême du feu, direction Manhattan. En s'engageant sur le pont de Williamsburg, il a remarqué un attroupement, il a regardé vers le sud et a découvert, stupéfait, ce qui attirait l'attention de tous les badauds : les tours jumelles, en feu. C'était le 11 septembre.

« Mieux vous connaissez les règles, plus vous gagnerez d'argent. » lance-t-il en guise d'introduction.

Un type énorme arrive avec une heure de retard. Sans même s'excuser ni dire bonjour, il annonce qu'il n'a pas son numéro de licence. Il essaie ensuite de s'installer sur l'une des chaises à pupitre mais n'y arrive pas. L'instructeur va lui chercher un siège à sa taille et reprend son cours. « Commençons par la bonne nouvelle : vous allez gagner de l'argent ; la mauvaise : vous allez devoir vous accrocher pour conserver votre permis ! »

Le prof nous explique comment nous comporter avec les clients pour essayer d'obtenir le meilleur pourboire possible, être avenant, leur parler s'ils ont envie de se confier, se taire s'ils veulent lire le journal ou envoyer des textos (il précise que depuis quelques années la moitié des passagers passent leur trajet sur leurs téléphones portables). Le gros type en retard s'est endormi. Fatima fait irruption dans la classe et l'interpelle : « Steve, réveille-toi ! David est en train de faire cours comme tu peux voir. » Le type grogne et reprend son stylo.

David enchaîne : « Ne jamais parler au passager quand on est sur l'autoroute. C'est extrêmement dangereux. Vous n'avez parfois qu'une seconde pour prendre la bonne décision. » Il raconte qu'une fois, sur le BQE, la voie rapide qui relie Brooklyn au Queens, un camion roulant devant lui a perdu un matelas qu'il a réussi à éviter de justesse parce qu'il était 100 % concentré sur la route. Le gros se redresse alors sur sa chaise et se met à gueuler que lui aussi ça lui est arrivé avec sa Mustang. Il a roulé sur un matelas et a réussi à reprendre le contrôle de son véhicule in extremis. Le prof demande gentiment d'éviter les histoires personnelles. L'obèse se rendort.

En cas de collision, il faut suivre une procédure très précise car, après trois accidents en un an, notre licence risque d'être suspendue. Surtout si l'on est en tort.

Nouvelle anecdote à propos d'un chauffeur qui, après un accrochage, a décidé de régler ça à l'amiable pour que chacun prenne en charge les frais de réparation de son véhicule sans passer par les assurances, qui, dans ce pays, sont particulièrement gourmandes. Alors qu'il avait quitté les lieux, l'autre conducteur a fait le tour du pâté de maison et est revenu se garer à l'endroit de l'accident. Il a appelé la police, leur a livré le numéro de plaque du taxi et déclaré que ce dernier avait pris la fuite. Suspension immédiate de la licence du pauvre *cab driver*...

Ne pas se fier à l'apparence des clients. Donald Trump, par exemple, à l'époque où il prenait encore des taxis, avait l'habitude de ne laisser que 50 cents de pourboire, quelle que soit la longueur du trajet. Et, à l'inverse, David raconte qu'il est tombé un jour sur une femme ressemblant à une clocharde avec son jogging et ses deux vieux sacs en plastique troués, il a hésité à la prendre. Une fois dans son taxi, il s'est rendu compte que c'était Meryl Streep.

Impressionnante engueulade entre l'instructeur et le gros. Ce dernier lui demande s'il peut occasionnellement ne pas enclencher son compteur et empocher du cash incognito. L'autre devient rouge pivoine et s'approche de lui, menaçant : « Je vais te dire ce que je pense : je pense que tu es un inspecteur de la Commission des taxis !

— J'ai simplement posé une question…

— Eh ben maintenant tu fermes ta grande gueule !

— OK, caïd. »

Le prof le regarde droit dans les yeux un moment et ajoute, pour clore l'incident : « Merci. »

Quelques minutes plus tard, le gros fait tomber sa casquette. Quand il se lève et se penche en avant pour la ramasser, une trace de merde apparaît à l'arrière de son short. Il s'est chié dessus (de peur ?). Une odeur nauséabonde envahit la pièce. Heureusement, c'est l'heure du déjeuner.

Quatre types, Islam en tête, installent des tapis dans le couloir et se mettent à prier.

Tout le monde se regroupe sur la petite place devant l'école pour manger son sandwich (j'opte aujourd'hui pour le *Pastrami Nightmare,* un cauchemar…). L'Ukrainien, qui est le seul de l'assemblée à avoir déjà passé (et raté) l'examen, effraie tout le monde en racontant ses mésaventures.

L'après-midi qui suit semble interminable jusqu'à ce qu'une sirène retentisse et que tout le monde soit évacué. L'immeuble est en feu ! Décidément, New York n'offre aucun répit. *The city that never stops.*

Nous restons une petite heure sur le trottoir pendant que les pompiers, arrivés en nombre, maîtrisent le début d'incendie, puis nous regagnons notre classe. Dans le couloir, je croise une Hispanique habillée en léopard des pieds à la tête et maquillée comme un camion volé. Elle a choisi de travailler pour Uber, comme la plupart des *female drivers*, parce que c'est plus sûr, les clients étant identifiés via leur compte. L'inconvénient c'est le manque de flexibilité de l'emploi du temps : elle devra louer sa voiture à la semaine, ce qui implique un plein-temps qui ne conviendrait pas à ma double casquette de chauffeur et scénariste. Je préfère la variété des clients de *yellow cabs*. N'importe qui avec cinq dollars en poche peut lever le bras et héler un taxi jaune. Pas besoin de compte en banque ni de smartphone.

C'est ce New York-là que je veux montrer dans le film, pas les *beautiful people* de papier glacé qui s'engouffrent dans les gros SUV de luxe à la sortie des boîtes. Il faudra que je réfléchisse aux motivations de mon héroïne : pourquoi cette femme-là prend-elle le risque de transporter des passagers anonymes ? Pourquoi n'a-t-elle pas les mêmes craintes que la bimbo latina de la *driving school* ? D'où vient-elle ? Qu'a-t-elle laissé derrière elle ?

Je rentre chez moi sur les rotules, me souvenant tout à coup que j'ai un dîner avec l'attaché culturel de l'ambassade de France le soir même. Choc social. Le type est sur une autre planète et nous invite à un événement auquel ne participeront que « les gens qui comptent dans le milieu des Français de New York ». Je me marre tout seul en repensant à mes collègues, en premier lieu le gros à la raie pleine de merde que j'ai eu sous le nez toute la journée.

*Mercredi 16 septembre 2015*

Nouveau cours. Nouvel instructeur. Il se présente mais ne donne pas son nom. Il est très différent des précédents. Petit, enrobé, portant un polo sous une ample chemise, cheveux gris. Il raconte que jusqu'en 2008 il était banquier, travaillait dans une grosse institution financière de Wall Street et prenait beaucoup de taxis. Au moment du krach boursier, il a fait partie d'une vague de licenciements qui l'a laissé sur le carreau. À 55 ans, difficile de retrouver du boulot. Un peu d'argent de côté mais trois enfants et un niveau de vie plutôt élevé, il a dû vite imaginer un plan B. Il est donc devenu chauffeur de taxi, comme son grand-père, et a tout de suite adoré ça. « Chaque course est une nouvelle histoire. J'adore me balader, voir la ville. J'adore rouler sur Park Avenue où j'ai grandi. Ça fait resurgir des souvenirs, par vagues. Mon premier amour, mon lycée, l'endroit où mon cousin est mort renversé par un camion... » Il évoque aussi la joie de découvrir les quartiers qu'il ne connaissait pas et le plaisir de conduire le samedi soir, contrairement aux autres chauffeurs qui détestent ce moment de la semaine où les clients sont souvent saouls et agressifs. Il raconte comment à ses débuts, alors qu'il conduisait encore avec la séparation chauffeur/passager fermée la nuit, il a chargé, comme dernière course, à la sortie d'une boîte, une jeune nana complètement bourrée qui allait dans le Queens. Elle a semblé dormir pendant tout le trajet et à l'arrivée lui a laissé un énorme pourboire en s'excusant. Il est rentré chez lui se coucher. Le lendemain matin en ouvrant la porte de son taxi, il a été assailli par une odeur atroce : la fille avait vomi partout !

En l'écoutant raconter comment, après avoir travaillé dans la musique puis dans la finance, il apprécie tant son métier de *taxi driver*, j'ai un flash : et s'il m'arrivait la même chose ? Si cette expérience de *Director's Studio* se transformait en un vrai métier ? Si, plutôt que d'attendre des mois, parfois même des années, pour avoir la bénédiction de tous ces gens qui décident à ma place si j'ai le droit ou non de faire des films, je choisissais simplement de travailler, anonymement, en transportant des gens à travers la ville ? Je pense à ma mère et ris intérieurement.

L'instructeur décide alors de demander à chacun de se présenter, de dire d'où il vient et quel métier il exerçait avant de décider de devenir chauffeur. Merde ! Je panique. Qu'est-ce que je vais bien pouvoir raconter ? Je ne peux évidemment pas dire la vérité. Je suis *undercover*. Il n'y a que comme ça que je peux observer tranquillement ce qui se joue autour de moi.

Le type à ma droite parle de sa vie en Ukraine, de la guerre et son statut de réfugié... Et puis c'est à moi. Je dis que je suis français, que je viens d'arriver de Paris. Je pense : pas de guerre, pas d'exil forcé, pas de tragédie, juste l'envie de changer d'air...

« De France, vraiment ?

— Oui.

— Où en France ?

— Paris.

— Paris ! Ouh là là ! » (avec l'accent français).

Il connaît visiblement bien la France et a visité plusieurs fois ma ville natale dans son autre vie.

Et qu'est-ce qui m'amène ici ? J'explique que je suis « *writer* », écrivain, terme assez vague qui me permet de ne pas rentrer dans le détail. J'ai déménagé à New York il y a un an et je ne gagne pas assez d'argent pour l'instant en écrivant, donc j'ai décidé d'être chauffeur de taxi en attendant de pouvoir vivre de mon art dans ce pays. Fiction ou réalité ?

Je pense au film. À quel moment apprend-on que l'héroïne est actrice ? Dès l'école de taxi ? Plus tard ? Quand l'histoire démarre, on ne sait rien de son background. Une autre idée, ou plutôt une image, m'apparaît en écoutant, un peu plus tard dans la journée, une chanson du groupe French Cowboy, qui avait signé la magnifique musique de mon dernier film et qui a enregistré la plupart de ses albums au milieu des cactus à Tucson, Arizona : le taxi jaune roulant au milieu du désert. Comment est-il arrivé là ?

Peu de temps après avoir écrit ces lignes, nous allons dîner, Éléonore et moi, dans un des meilleurs restaurants de Chinatown, Mission Chinese Food, avec Alexis, un ami français qui vit à Los Angeles et qui s'occupe de vendre des films aux plateformes Internet type Netflix. Je lui annonce mon intention de devenir *yellow cab driver*. Il n'en revient pas. Je lui raconte l'idée de départ du film et lui parle de cette image du taxi dans le désert. Il adore. Nous continuons notre discussion chez Attaboy, un bar du Lower East Side. Les cocktails successifs nous aident à imaginer comment ce taxi va pouvoir se retrouver en plein milieu de l'Arizona : alors qu'une tempête de neige cloue tous les avions au sol, un type entre dans la voiture de l'héroïne et lui demande de l'accompagner à Los Angeles. Il paiera le prix. Il a un rendez-vous qu'il ne doit rater sous aucun prétexte avec un studio le lendemain soir. Le GPS annonce un jour et seize heures de route. C'est comme ça qu'elle se retrouve finalement à Hollywood.

Retour à l'école.

Le type qui prend la parole après moi conduit une limousine depuis deux semaines. Suite à de nombreuses plaintes de ses clients, Uber a décidé de l'envoyer suivre, à ses frais, un cours de mise à niveau.

L'instructeur se tourne vers l'élève suivant qui dort profondément. Il s'agit du gros de la veille (il a changé de short). Le prof prend ça avec philosophie : « Plus tard, peut-être… »

Un autre gars est conducteur de ferry mais en a marre d'être sur l'eau.

Une fois qu'il a fini son tour d'horizon, l'instructeur demande à l'assemblée : « Où est-ce que vous allez pouvoir gagner le plus d'argent ? Les gares, les aéroports, les hôtels… » Le gros se réveille d'un coup et gueule : « Les bars et les boîtes de nuit ! » Peut-être faisait-il semblant de dormir pour ne pas avoir à raconter sa vie.

L'instructeur que j'avais eu en juin entre dans la salle et annonce la coupure déjeuner. Il a gardé son look de cowboy et parle toujours aussi fort, en mâchant un chewing-gum. Il nous rappelle qu'il est interdit de ramener de la nourriture dans la classe :

« Pas de hamburgers, pas de bouffe chinoise, pas de bouffe italienne, pas de bouffe mexicaine, pas de bouffe du Bengladesh, pas de bouffe d'Afrique de l'Ouest, pas de bouffe irakienne, pas de bouffe algérienne, pas de bouffe russe, pas de bouffe de République dominicaine... »

Un type avec un turban dit :

« Et de la nourriture indienne ?

— PAS DE BOUFFE INDIENNE ! Surtout pas de bouffe indienne. On ne veut pas de cafards ici... »

Le type ne se démonte pas :

« Moi, j'aime la nourriture indienne.

— TU AIMES LA BOUFFE INDIENNE ??? »

L'instructeur éclate de rire :

« Moi aussi j'aime la bouffe indienne. J'adore la bouffe indienne. Mais jamais de bouffe dans cette salle, compris ? »

Nouveau déjeuner au coin de la rue. Nouveau kebab. Je vais devoir équilibrer mon régime de chauffeur si je ne veux pas finir comme le type en short.

La nourriture est un vrai piège dans ce pays. Les aliments sont plus gras et plus sucrés qu'en Europe, et les portions énormes. Quand on est gourmand, comme moi, le seul moyen de ne pas devenir obèse est de faire beaucoup de sport. Je me suis inscrit dans une salle de gym dès mon arrivée. L'établissement ouvre à 4 heures du matin et ne désemplit pas de la journée. Il y a des gros ventres, des petits culs, des vieux beaux, des jeunes filles voilées, des boxeurs baraqués, des danseuses de zumba gaulées, des body-builders huilés et une garderie d'enfants surpeuplée. Sur la porte d'entrée, il y a écrit en lettres dorées : « *NO JUDGMENT* ». Ça pourrait être le slogan de cette ville. L'ouverture d'esprit et l'acceptation des différences m'ont toujours frappé à New York. On a l'impression qu'ici tout est permis. Il y a un incroyable mélange de couleurs, de religions, de genres sexuels, de fantaisie... J'aime voir les homosexuels se tenir par la main ou s'embrasser en pleine rue sans que personne y trouve rien à redire, j'aime que les gens se promènent torse nu dès qu'il fait chaud, aient des cheveux bleus, des bas résille panthère, ou des pantoufles à pompons, et ne se dévisagent pas, ne se jugent pas. Au début, on peut prendre ça pour de l'indifférence mais il s'agit en réalité du respect de la liberté de chacun.

En revenant à l'école, je tombe sur Faty qui me demande si j'ai enfin mon numéro de TLC. Je lui explique que la période d'essai de mon permis se termine dans trois jours et que j'ai l'intention d'aller vendredi à la première heure là-bas pour déposer mon dossier. Elle me met en garde : pendant l'été les règles ont encore changé et si je fais ça, il me faudra attendre au moins trois semaines pour pouvoir passer mon examen. Elle me conseille de m'inscrire sur Internet, ce qui me permettra d'obtenir un numéro d'immatriculation immédiatement. Elle appelle une copine à la Commission des taxis qui lui confirme qu'une fois que j'aurai ce numéro, je pourrai me présenter à l'examen sans problème. Si je le réussis, il ne me restera plus qu'à faire le *drug test*, les empreintes et roulez jeunesse !

Le reste de la journée se partage entre anecdotes et conseils en tous genres :

– Quand on arrive au garage le matin, il y a des dizaines de types qui attendent une voiture. Il faut se mettre le dispatcheur dans la poche pour ne pas poireauter des heures et finir avec un taxi pourri. « Pas de temps à perdre. Vous courez après la montre ! »

– Entre 6 h 30 et 8 heures, ce sont les *golden hours*. Pas d'embouteillage. Beaucoup de businessmen. Il faut rentabiliser au maximum.

– L'instructeur nous donne les numéros de téléphone du répondeur de JFK et La Guardia pour obtenir le temps d'attente dans les *feed lines* des aéroports avant de pouvoir charger un client.

– L'application GPS à avoir est WAZE. Elle calcule les meilleurs parcours en tenant compte de la circulation en temps réel. En revanche, le jour de l'examen, il nous conseille d'utiliser notre « GBS », *General Brain System*.

– Il raconte : un jour, il a chargé une dame d'une cinquantaine d'années Upper West Side qui allait à Union Square pour l'anniversaire de sa meilleure amie. C'était une surprise et elle ne voulait surtout pas être en retard. Il a consulté WAZE qui conseillait de faire un léger détour pour éviter les bouchons. La passagère n'était pas d'accord et lui a demandé de descendre Broadway tout droit. Après avoir parcouru quelques *blocks*, ils se sont retrouvés totalement coincés. Impossible d'avancer, de reculer, de tourner, ni à droite, ni à gauche… La femme est devenue hystérique et lui a ordonné de trouver une solution. Très calme, il a répondu qu'il n'était pas magicien. Furieuse, elle est sortie du taxi sans payer et s'est engouffrée dans le métro.

– Un autre jour, un couple à l'arrière de son taxi se disputait. L'homme tentait de convaincre sa femme qu'elle avait tort. Au bout d'un moment, à court d'arguments, ce dernier a interpellé le chauffeur : « Vous en pensez quoi, vous ?

— Le prix de la course est indiqué au compteur mais la séance de thérapie de couple est en supplément. »

Ça a détendu l'atmosphère.

– Un soir, il a chargé un groupe de rappeurs qui sortaient d'un bar de Williamsburg à Brooklyn. Ils avaient quinze minutes pour arriver au Tribeca Grill, un des restaurants de De Niro, qui fermait ses portes à 22 heures Ils lui promirent 100 $ s'ils y parvenaient à temps. Il a foncé et les a déposés devant à 21 h 59, sans avoir perdu son permis. Les types ont tenu parole et lui ont donné le plus gros pourboire de sa carrière de chauffeur.

– « Sans nous, cette ville serait dans la merde. Soyez fiers de ce que vous êtes. Et souvenez-vous que vous pourrez toujours raconter à vos petits-enfants que vous avez été chauffeur de taxi à New York ! Les *cab drivers* sont des icônes de la ville, au même titre que l'Empire State Building ! »

– La plupart des gens connus vous donneront un bon pourboire. Pas parce qu'ils sont spécialement généreux mais parce qu'ils ne veulent surtout pas que vous passiez vos journées à dire à vos clients : « Dustin Hoffman est radin ! »

– « Dans la rue, la seule couleur de peau qui compte c'est vert, comme le dollar. »

– « Si vous êtes bavard et que vous faites la conversation à vos passagers, vous gagnerez bien votre vie. Beaucoup de gens considèrent les chauffeurs de taxi comme des psys, ils leur disent des trucs qu'ils ne confieraient à personne d'autre parce qu'ils savent qu'ils ne les reverront jamais. C'est une séance gratuite, et on vous récompensera pour ça. Il faut aussi savoir être patient et ne pas l'ouvrir à tout bout de champ. »

– « Quand un passager vous demande comment va le business, répondez toujours : "Mollement", même si ça marche bien. Il aura pitié de vous, vous donnera un meilleur pourboire et, surtout, ne risquera pas de vous braquer à l'arrivée ! »

– Il explique aussi que les chauffeurs de taxi sont ceux qui mangent le mieux à New York. « On peut aller chercher notre nourriture où on veut dans toute la ville. »

– « Si un couple baise dans votre taxi, pensez que vous aurez un truc à raconter à votre femme en rentrant. Ça pourrait même peut-être bien l'exciter ! »

Virile ambiance de l'école de taxi… Décidément, je me réjouis de plonger un personnage féminin dans ce bocal.

*Jeudi 17 septembre 2015*

En 2011, une association a fait un procès au TLC en demandant que tous les taxis new-yorkais soient accessibles aux fauteuils roulants. Suite à une longue négociation, un compromis a été trouvé l'année dernière. Au plus tard fin 2019, 50 % des véhicules devront être accessibles. Depuis, une taxe de 30 cents est prélevée sur chaque course et sert à financer le remplacement des voitures classiques par des vans.

Quand j'arrive à l'école, on me dit que je n'ai pas le droit d'assister à la *wheel chair class* car je n'ai pas encore mon numéro de TLC. Le type à l'accueil est très désagréable et Fatima n'est pas là. Je n'ai aucune envie de devoir attendre une semaine de plus pour valider ce cours. J'insiste. Il appelle son supérieur. Un Black costaud avec de longues dreadlocks et un bonnet bleu en laine s'approche de moi et me propose d'appeler Fatima. Ma bonne fée donne son accord pour qu'il me fasse remplir une feuille de présence qu'ils antidateront plus tard.

Je me retrouve dans une très grande salle avec quarante gugusses et deux chaises roulantes. Pour la deuxième fois depuis que j'ai commencé cette formation, il y a une femme parmi les élèves. Une blonde platine d'une soixantaine d'années. Maquillée outrageusement, elle me fait penser à la vieille avec qui Peter Falk parle à la fin de *Husbands* de Cassavetes. Elle est accompagnée par son mari. Ce couple de sexagénaires à court d'argent a décidé de devenir *cab drivers*. *This is America !* J'ai lu quelque part que le plus vieux chauffeur de taxi new-yorkais avait 94 ans lorsqu'il est mort au volant...

L'instructeur commence son cours. Il nous met aussitôt en garde : « Lorsque vous installez un handicapé dans votre véhicule, il faut être très prudent. Si vous le touchez avec l'intérieur de votre main, il peut vous attaquer en justice ! »

Il nous montre une série de petits films résumant la procédure à suivre pour fixer le fauteuil. Ensuite, il nous demande de répondre à un questionnaire pour être sûr qu'on ait bien compris. Il lit les questions en disant « *blank* » à chaque fois qu'il y a un espace à remplir dans la phrase. À la fin de l'exercice, il se rend compte qu'un Pakistanais au premier rang a écrit « *blank* » dans tous les trous.

Une fois la partie théorique terminée, nous nous séparons en deux groupes de vingt pour passer à la pratique. Nous défilons par paires. On joue à tour de rôle le passager et le client. Un type qui se retrouve en binôme avec la femme demande à changer de partenaire : il est musulman, religieux, et n'a pas le droit de la toucher. *No problem.*

Contrairement à la France où la laïcité est la norme, ici chacun est libre de pratiquer et d'afficher sa religion comme il l'entend, du moment qu'il ne trouble pas l'ordre public.

Je change de salle et enchaîne sur un examen blanc de 18 heures à 21 heures Un type de l'école nous explique comment l'épreuve va se dérouler. Il nous prévient : les inspecteurs du TLC sont extrêmement sévères et nous disqualifieront à la moindre entorse au règlement. Nous devons pour le jour J avoir chacun notre permis de conduire, un crayon à papier de type B (pas 2B, H ou HB) et une gomme. Rien d'autre !

Nous commençons par un test d'anglais très facile consistant à comprendre une série d'adresses puis une histoire extrêmement basique. Nous enchaînons ensuite sur une quinzaine de questions de géographie se résumant à trouver des croisements de rues sur l'atlas des cinq *boroughs* de New York. Malgré quelques pièges, tout cela est assez simple aussi. La dernière partie est plus compliquée. Il faut répondre à cinquante questions sur les règles de conduite des taxis.

Au bout de deux heures et demie, je rends ma copie. L'inspecteur me la remet quelques minutes plus tard : 84/100 (8 erreurs). C'est bon. Il faut au minimum 70 pour passer. Je demande à récupérer ma feuille pour essayer de voir où je me suis trompé mais le type refuse de me la donner. C'est la règle de la maison. Impossible de comprendre ses erreurs, ce qui augmente le stress et pousse la plupart des candidats à prendre plus de cours et donc à payer plus cher. Un des élèves, sachant qu'il n'aurait pas le droit d'emporter sa copie, a pris discrètement des photos du questionnaire avec son portable. Un peu plus tard, un attroupement se forme autour de lui à l'entrée du métro, chacun essayant d'obtenir des réponses à ses questions. On dirait un groupe en train de dealer du shit au milieu du Queens. Je glisse au type mon numéro de téléphone et lui demande de m'envoyer ses captures d'écran.

De retour à la maison, je reçois son message. En élève consciencieux, je revois toutes les questions. Je me plonge dans le manuel du code de la route des taxis et comprends alors que certaines réponses justes sont volontairement notées fausses pour éviter que les candidats n'aient de trop bonnes notes aux examens blancs et ainsi renforcer leur sentiment d'inquiétude. *Business is business.*

*Vendredi 18 septembre 2015*

La période probatoire de mon permis se termine aujourd'hui. Je me connecte donc sur le site du TLC dès l'aube et essaie de remplir mon formulaire d'inscription. Il y a un bug : l'application n'accepte pas les nombres 5 et 8. Je ne peux entrer ni mon numéro de sécurité sociale ni mon adresse. Je suis bloqué. Si je ne m'inscris pas avant ce soir, je ne pourrai pas passer l'examen la semaine prochaine. J'ai parfois l'impression que je n'en verrai jamais le bout. Les règles qui changent en permanence, les documents qui ne sont jamais les bons, les délais interminables… Je perds patience ; ces démarches administratives me sortent par les trous de nez, j'ai un film à écrire ! J'ai l'habitude d'être LE PATRON, moi, *the fucking boss*, j'ai toujours eu ma boîte de prod, j'ai fait mes films dans une liberté totale et j'ai tout le temps eu le contrôle de la situation ! Là, nada. Obligé de fermer ma gueule.

J'essaie d'appeler le TLC. Occupé. Je prends une douche pour me calmer et vais m'installer dans mon bureau. Je redémarre mon ordinateur et recommence la manœuvre à zéro. Ça marche. À 8 h 33, apparaît sur l'écran la mention : « *Application completed* ». Enfin ! Mon numéro d'immatriculation est le 5648250.

J'appelle Fatima pour lui annoncer la bonne nouvelle. Elle me conseille de venir tout de suite lui apporter le document imprimé. Je pars aussi sec pour le Queens.

À l'école de taxi, c'est un vrai bordel. La réception est de nouveau pleine à craquer de types venus s'inscrire.

Je fais la queue. Mon esprit s'égare. J'imagine une séquence du film où notre héroïne irait à un casting avec son taxi pendant une journée de boulot. Je ne veux pas figer l'histoire du film à l'avance mais plutôt laisser émerger des scènes au fil de mon expérience ; je les organiserai ensuite. Autre vision : un type s'allume une clope dans le taxi de l'héroïne. Elle lui demande de l'éteindre. Il refuse. Elle lui demande de descendre. Il résiste et menace de la dénoncer au TLC pour insulte. Bien sûr c'est faux mais la parole du chauffeur n'a aucun poids face à celle du client. Expérience de l'impuissance.

À l'intérieur du bureau, une altercation. Un type furieux demande à être remboursé. Il agresse tout le monde. Fatima, très calme, s'approche de lui, à quelques centimètres de son visage, et lui souffle doucement : « Chut. » Le type hésite puis se calme.

La responsable de l'école pourrait être le point d'ancrage de l'héroïne, son seul repère dans la jungle de Gotham City.

## Jeudi 24 septembre 2015

Deuxième test blanc. Quand ils comprennent que je l'ai déjà passé une fois, les autres élèves se précipitent sur moi et me posent une multitude de questions. Je suis devenu le référent.

Après trois longues heures, je rends ma copie.

J'obtiens 86/100. De mieux en mieux.

L'examen final est programmé pour le lendemain.

## Vendredi 25 septembre 2015

Jour J.

J'arrive une demi-heure en avance. Attente en silence dans le couloir qui mène à la salle d'examen. Un type de l'école nous appelle un par un et nous assigne une place au hasard. Je me retrouve assis derrière Steve, le type obèse. Quand il voit mon tee-shirt sur lequel est dessinée une Ford Mustang, il me raconte qu'il en possède une de 1971 garée dans un garage du Bronx. Il ne la sort jamais de peur de l'abîmer. Il me demande ce que je fais dans la vie. Je lui explique que je suis *writer* et que je viens de débarquer à New York. Lui est en galère de fric et essaie de récupérer sa petite amie. Elle ne veut plus de lui tant qu'il est fauché. « *No money, no honey !* » Il éclate de rire.

Une fois que tout le monde est installé, les inspecteurs du TLC vérifient l'identité de chacun. Un Black, visiblement pas du coin, a oublié son permis de conduire chez lui.

Un des inspecteurs lui explique que ce n'est pas possible. On est aux États-Unis. Ici on ne sort jamais de chez soi sans ses papiers. Si on se fait contrôler, on va directement en prison. L'autre hausse les épaules et réplique :

« Si je vais en prison, j'appellerai quelqu'un pour venir me chercher.

— Hé *brother*, t'es pas en Afrique ! »

Rires dans la salle.

Pendant que les inspecteurs distribuent les feuilles d'examen, un des instructeurs de l'école nous rappelle qu'il s'agit d'un questionnaire à réponses multiples (A à D). Il nous donne une astuce : si on n'a aucune idée de la réponse, il faut toujours cocher le C. Une étude faite sur des milliers de questionnaires en tout genre a montré que le C sortait dans 62 % des cas. Bonne chance !

Le test s'avère beaucoup plus difficile que prévu : « Quel est le meilleur chemin pour aller du Lincoln Center à la New York Public Library ? » « Nommez les 3 ponts qui connectent le Queens et le Bronx. » « Entre quelles avenues de Manhattan se trouve le 250 W 38th Street ? » On a le droit d'utiliser la carte mais, dans les réponses proposées, plusieurs itinéraires empruntent des rues à sens unique qui ne sont pas indiquées sur le plan. J'essaie de me souvenir des endroits que j'ai explorés pendant mes vacances à New York et mes quelques mois d'étude à NYU il y a vingt-cinq ans…

Je me concentre, repasse plusieurs fois sur les questions et finis juste dans les temps. J'ai le droit à 15 mauvaises réponses sur 80 et j'en ai repéré 17 sur lesquelles j'ai des doutes.

En sortant j'appelle Greg, le type qui m'avait envoyé les photos du test blanc. Il me dit que lui aussi a trouvé l'examen très dur. Il me confirme que je me suis trompé sur au moins trois questions.

De retour à la maison, je me précipite sur le manuel pour vérifier mes réponses. Je passe de 17 à 10 douteuses. Ça devrait aller !

Je n'ai pas stressé comme ça depuis longtemps. Probablement le bac.

Par précaution je demande à Fatima de m'inscrire au test de la semaine suivante. Normalement elle n'en a pas le droit mais elle fait une nouvelle exception pour moi.

Réponse dans cinq jours.

*Samedi 26 septembre 2015*

Le week-end suivant, je prends un taxi pour revenir d'une soirée. Le chauffeur, un type d'origine indienne, ne parle pas un mot d'anglais. Comment a-t-il pu passer l'examen ? Seule explication, les mecs doivent, en toute illégalité, se refiler leurs licences.

*Lundi 28 septembre 2015*

Le lundi matin, je reçois un mail du TLC qui m'indique qu'ils ont bien enregistré mon dossier et me demande de me présenter dès que possible chez eux. J'appelle Fatima pour savoir si je dois attendre les résultats de l'examen avant d'y aller.

« Pas de problème. Tu as passé.

— Comment ça, passé ?

— *You passed* !

— Non ? !

— Ils m'ont envoyé les résultats ce matin. Tu as réussi haut la main. 90 sur 100. *Congratulations* ! »

Hourra !

À moi les rues de Manhattan !

Il me reste une dernière étape : faire valider mon dossier et passer le *drug test*. Une formalité.

Je fonce au TLC. Queue devant le bâtiment. Passage du portique de sécurité. Ascenseur jusqu'au 2e étage. À droite dans le couloir. Me revoilà devant l'employée chargée de vérifier les documents. Et là, nouvelle embûche : mon nom n'est pas le même sur mon permis de conduire que sur ma *social security card* (c'est un peu comme la carte d'identité ici, rien à voir avec la sécurité sociale française). Sur l'un sont indiqués les prénoms de mes grands-pères : Émile et Pierre ; pas sur l'autre. L'employée ne veut rien savoir. J'ai pris l'habitude de ne plus discuter dans ce genre de cas. Cela ne sert à rien. En Amérique, la loi c'est la loi, les règles sont faites pour être respectées, pas contournées.

Me voilà donc reparti à l'autre bout de Brooklyn pour demander un changement de carte. Il faut savoir que si Brooklyn était une ville, ce serait la quatrième plus grande des États-Unis… Métro, maison, carte verte, vélo, direction Downtown BK. Nouveau numéro, nouvelle file d'attente, employé efficace, ma carte me sera envoyée d'ici à deux semaines. *Never ending story.*

*Mardi 6 octobre 2015*

Elle arrive par la poste une semaine plus tard. Retour au TLC. Cette fois, tout est en règle. Je passe devant plusieurs guichets. Ma dernière interlocutrice, une grosse Black avec des ongles comme des antennes, m'annonce : « Voilà c'est bon, *honey.* Vous devriez recevoir votre licence d'ici à neuf semaines. » Neuf semaines ?! Fatima m'avait parlé de deux semaines maximum. Je pensais pouvoir commencer à conduire fin octobre au plus tard. Avant la neige…

*Vendredi 20 novembre 2015*

Un mois et demi plus tard, je reçois un SMS du TLC m'indiquant qu'il manque une pièce à mon dossier. J'appelle Fatima qui, après avoir téléphoné à son contact là-bas, me confirme que je dois retourner leur apporter l'original de mon *6 Hours Class Certificate.* Me voilà reparti dans le Queens. Kafka.

Lorsque j'arrive là-bas quarante-cinq minutes plus tard, je ne vois pas la queue habituelle devant le bâtiment. Le trottoir est vide. En m'approchant, je découvre une pancarte indiquant que les bureaux ont été transférés à une autre adresse. *Fuck !* C'est le premier jour d'hiver à New York. La température est passée en dessous de 0°. Je marche dans le froid pendant vingt minutes et m'engouffre dans un hangar immense. L'espace est vide à l'exception d'une table derrière laquelle sont assis trois employés. Une cinquantaine de personnes font la queue devant moi… On passe sa vie à essayer d'avoir une carte, un badge ou un contact privilégié pour obtenir une table dans les restaurants à la mode ou moins faire la queue à l'aéroport. Ici pas de passe-droit. Tout le monde au même niveau. Pas de TLC Premium ni de ligne VIP.

La queue avance lentement. Au bout d'un moment, j'aperçois mon reflet dans une baie vitrée. Avec ma barbe de trois jours, mon jean troué, ma veste élimée et mes baskets, je me fonds dans la foule des futurs chauffeurs. J'y pense tous les matins. Non que je sois un métrosexuel ultra-apprêté en règle générale, mais j'ai le souci réel de passer inaperçu, de ressembler le plus possible à mes « collègues », de ne pas attirer l'attention, de ne pas risquer d'être démasqué. Mon héroïne aussi cherchera à se construire une autre identité. Jouer un personnage, ne pas être en première ligne, l'aidera à supporter la dureté de son nouveau quotidien. Elle aura un peu l'impression d'être dans un film à chaque fois qu'elle prendra le volant. Elle se rappellera que New York est la ville où a été créé l'Actor's Studio et s'immergera entièrement dans ce nouveau rôle. À l'image de De Niro qui avait obtenu sa licence et conduit un taxi pendant plusieurs mois avant de tourner *Taxi Driver*. Mais de quel film s'agit-il ici pour mon héroïne ? D'un fantasme ? Du film de sa vie ? J'aime l'idée qu'elle confonde les limites de la fiction et du réel. Et New York est propice à cette confusion.

Après trente minutes d'attente, je me retrouve face à une employée à qui j'explique mon problème. Elle consulte son ordinateur et m'annonce que c'est une erreur. Tout est en règle. Je dois prendre mon mal en patience. Combien de temps ? Maximum trois mois. Je reste sans voix. Elle s'excuse et appelle la personne suivante.

*Vendredi 18 décembre 2015*

Déjà un mois. Vacances de Noël. Départ pour Paris. Toujours pas de nouvelles du TLC. Coup de fil à

Fatima avant de monter dans l'avion. Elle m'apprend qu'on lui a promis ma licence avant la fin de l'année.

## Samedi 19 décembre 2015

Arrivée à Roissy-Charles-de-Gaulle. Je monte dans un taxi parisien. Le chauffeur n'est pas indien, ne passe pas le trajet à chuchoter dans son oreillette en bengali mais m'annonce froidement qu'il n'accepte pas la carte bleue. Impensable de nos jours dans un taxi new-yorkais.

Il me dépose quelques dizaines de minutes plus tard devant chez ma mère. Le fossé entre Jackson Avenue dans le Queens et l'avenue de La Motte-Picquet dans le 7e arrondissement est vertigineux.

## Jeudi 24 décembre 2015

Email de Fatima qui me confirme que ma licence a été envoyée le 19. Joyeux Noël !

## Dimanche 3 janvier 2016

Retour à Brooklyn. Sans même avoir retiré mon blouson, je me précipite sur la pile de courrier qui trône sur la table de la salle à manger. Lettres de la banque, de l'assurance-maladie, de la SACD, de l'école des enfants, prospectus divers puis, tout à coup, une enveloppe siglée TLC. Je la déchire d'un coup sec. Ma licence apparaît enfin, après plusieurs mois d'une attente qui m'a semblé interminable.

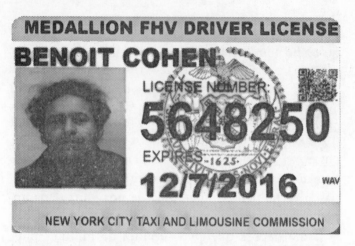

Je décide de commencer dès le lendemain.

### Lundi 4 janvier 2016

Mon réveil sonne à 3 h 45. Je prends une douche rapide, m'habille chaudement, avale un thé brûlant et sors dans la nuit. La rue déserte est balayée par un vent polaire. Il fait – 8°. Je presse le pas et m'engouffre dans le métro. J'attends la rame pendant vingt minutes sans croiser âme qui vive. Je pense à mon héroïne. Je suis content de ne pas être une femme, seule sur ce quai, à ce moment-là.

4 h 30 : j'arrive au terminus de la G. Je traverse Jackson Avenue en direction d'un garage que j'avais repéré lorsque je me rendais à l'école de taxi. La pression monte. Vais-je réussir à obtenir une voiture ? Je plonge dans l'inconnu.

Plusieurs *yellow cabs* sont garés dans la rue. À l'intérieur de la cour, il y a une grande agitation. Des véhicules passent devant moi, quittant le parking, alors que je me dirige vers la guérite du dispatcheur.

Derrière le comptoir, un Indien d'une cinquantaine d'années me demande ma licence. Je lui souffle que c'est ma première fois. Il me dit que je dois du coup remplir un dossier d'inscription mais le bureau n'ouvre qu'à 9 heures. Y aura-t-il encore des taxis disponibles à cette heure ? Il me propose de m'en garder un. Il me fera même une ristourne pour ne pas trop me pénaliser.

Je repère, sous les rails du métro aérien, un *diner* ouvert 24/24 et décide d'aller prendre un petit déjeuner en attendant.

Je m'installe sur une banquette en skaï rouge et commande une omelette au bacon. L'horloge murale fixée au-dessus d'un vieux juke-box indique 5 h 04. Je vais devoir patienter quatre heures dans cet endroit. À moins de trouver quelqu'un qui accepte de m'inscrire plus tôt. Je tape « *Taxi Garage Queens* » sur mon portable et appelle méthodiquement tous les autres garages du coin. On me répond à chaque fois que le bureau des inscriptions n'ouvre qu'entre 9 heures et 11 heures, jusqu'à ce que je tombe sur un type chez Taxi Management Corp. qui me dit de venir immédiatement. J'avale mon omelette et repars aussitôt dans l'air glacial de Long Island City.

Après une dizaine de minutes de marche, j'arrive à destination. Le garage ressemble à un décor de film américain des années 70. Un vieux type, sorte de Joe Pesci aux cheveux blancs, est assis derrière un comptoir protégé par un grillage. Il me fait entrer dans son bureau, me serre la main énergiquement et se présente : Kenny. Il me tend ensuite un formulaire d'inscription que je remplis consciencieusement. Dans le local

59

défilent des chauffeurs, pour la plupart africains, qui plaisantent entre eux dans un mélange d'anglais, de français et de dialecte de leur pays d'origine. Une fois la paperasserie terminée, le dispatcheur me tend une clé et désigne un véhicule garé sur le parking à travers la fenêtre sale. C'est un van assez imposant. Je lui demande si, pour mon premier jour, je ne pourrais pas avoir une voiture « normale », moins compliquée à manœuvrer dans la jungle new-yorkaise. Il grogne et me tend un autre trousseau en me précisant que ce ne sera pas toujours comme ça. Il demande ensuite à un des chauffeurs présents de m'apprendre le fonctionne-ment du compteur. Le type qui s'y colle vient de finir son *night shift* (douze heures), il fait une petite pause et compte bientôt repartir pour une dizaine d'heures ! Il lance au manager dans un éclat de rire : « *Your country is a nightmare, man !* » Un cauchemar, l'Amérique ? Pour moi, c'est encore un rêve.

Une fois ma formation pratique terminée, j'allume le chauffage et installe mon matériel. Je colle mon enregistreur numérique sur la séparation en plexiglas entre la banquette arrière et le siège conducteur, de manière à ce que les passagers ne se rendent compte de rien. Je glisse ma licence dans l'emplacement prévu à cet effet. Je fixe le socle de mon téléphone / GPS sur le pare-brise et sors un cahier sur lequel je reporterai le détail des courses de la journée. La température monte. Je glisse quelques billets et un stylo dans le porte-boisson. Je suis paré. Je me mets en route.

À 7 h 30, je sors du garage au volant de la voiture n° 14, direction Manhattan. Je traverse le Queens-boro Bridge, le soleil se lève sur la *skyline*. C'est magique. Milos Forman, autre immigré cinéaste, disait : « New York est la seule ville qui est plus belle en vrai que sur les cartes postales. »

La 2ᵉ Avenue est complètement bouchée. Je décide de m'engager dans une rue transversale. Je n'en mène pas large. Mon cœur bat à deux cents à l'heure. Je transpire. Et si je ne comprends pas ce que me disent les clients ? Si mon GPS tombe en panne ? Si je me perds ? Si... Un type surgit entre deux voitures sur le trottoir de gauche, le bras en l'air. Je prends une longue inspiration et m'arrête. Il entre dans l'habitacle, accompagné de son fils, et m'annonce son adresse. Il est 7 h 50. J'ai 46 ans. Je suis au volant d'un taxi jaune. À New York.

**7.50**   19ᵗʰ St & 8ᵗʰ Av
Père et fils asiatiques. Le môme ne décroche pas de sa console vidéo. Zéro échange.
*9,30 $*

**8.15**   Houston St & Avenue D
Nounou black paniquée car le bus de ramassage scolaire n'est pas passé ce matin. Elle est accompagnée de deux jeunes garçons en uniforme et cravate orange. Ils regardent la télé, fixée à la séparation en plexiglas, sans échanger un mot.
*10 $*

**8.30**   225 Liberty St
Homme d'affaires muet. Seule consigne : prendre le FDR (Franklin Delano Roosevelt Drive, voie rapide qui longe la côte est de Manhattan). Je ne sais pas comment l'atteindre. J'improvise. Ça passe.
*17,20 $*

**8.45** 57$^{th}$ St & 6$^{th}$ Av
Femme blanche. 40 ans. Muette. Petit pourboire.
*8,45 $*

**9.10** 48$^{th}$ St & 5$^{th}$ Av
Femme blanche. 50 ans. Muette. Gros pourboire
*12,10 $*

**9.50** 247 W 37$^{th}$
Un homme et deux femmes d'une agence de graphisme qui partent négocier un gros contrat. La tension est palpable. Je n'existe pas.
*15,35 $*

**10.15** Broadway & 37$^{th}$ St
Deux types d'une trentaine d'années en route pour un rendez-vous d'affaires. Costards nickel, chemises blanches amidonnées, cravates fines et chaussures cirées. Ils s'engueulent sur l'itinéraire. Je reste concentré sur mon GPS. À l'arrivée, ils se battent pour payer la course. J'attends patiemment.
*8,95 $*

**10.20** Penn Station
Couple qui se parle en hindi. Tout à coup, le type avise le compteur, qui vient de dépasser les 10 $, et commence à m'engueuler. La dernière fois qu'il a emprunté le même trajet, c'était moins cher. Je lui dis que je suis désolé mais que je ne contrôle pas la circulation. Furieux, il ne me laisse pas de pourboire.
*12,70 $*

**10.50** 41$^{st}$ St & 2$^{nd}$ Av
Deux homos, la quarantaine. Ils vont faire leur visa au consulat du Brésil en vue d'un prochain voyage à Rio. Zéro contact.
*19,50 $*

**11.00** 22<sup>nd</sup> St & 2<sup>nd</sup> Av

Vieille femme très ridée. Elle me demande de la déposer à l'église de l'Épiphanie sur la 2<sup>e</sup> Avenue. Elle me dit qu'elle s'y rend tous les jours pour prier. J'en profite pour essayer d'engager la conversation. Échec.

*7,30 $*

**11.30** 14<sup>th</sup> St & 5<sup>th</sup> Av

Adolescent couvert de boutons rivé sur son iPhone.

*18,20 $*

À midi, je décide d'aller chercher Éléonore pour l'emmener déjeuner à Manhattan dans mon taxi. Je me gare devant la maison et klaxonne. Elle apparaît sur le perron et éclate de rire. Elle n'en revient pas. Après une inévitable séance photo, nous traversons le pont de Brooklyn, aux anges. Succulents sandwichs au pastrami chez Katz, *delicatessen* du Lower East Side. Je lui confie ma déception d'avoir eu si peu de contact avec mes premiers passagers. Cette expérience doit nous permettre de nourrir notre scénario. Pour l'instant, c'est mal barré. Éléonore temporise. Dès que je serai moins stressé, le contact se fera sûrement plus facilement.

Philomène nous rejoint. Je lui raconte ma première matinée. Elle semble fière de son père. Cette gamine a toujours eu un don d'évolution en un temps record. Je les dépose sur Broadway et reprends ma tournée.

**14.20** West Broadway & Prince St

Galeriste d'une quarantaine d'années. Très sympathique. Je me lance et lui demande depuis

combien de temps il vit à New York. Vingt-cinq ans. Il me raconte comment il a vu Soho, temple des artistes dans les années 70/80, se transformer petit à petit en une galerie marchande de luxe.
*6,75 $*

**14.50**  20<sup>th</sup> St & 1<sup>st</sup> Av
Femme de 50 ans qui va à l'hôpital rendre visite à son mari malade. Elle me demande ce que je faisais avant de devenir chauffeur de taxi. Je reste évasif, lui raconte que j'écris mais que je n'arrive pas pour l'instant à en vivre. « Ne m'en parlez pas, moi aussi je suis romancière. » Je m'apprête à lui expliquer que je ne suis pas vraiment écrivain, que je n'ai jamais rien écrit d'autre que des scénarios, mais nous arrivons à destination.
*13,30 $*

**15.15**  Chelsea Piers
Femme asiatique qui parle en chinois au téléphone. Le ton monte. Elle raccroche et se racle la gorge bruyamment.
*19,55 $*

**15.30**  14<sup>th</sup> St & 2<sup>nd</sup> Av
Type bizarre qui monologue en se plaignant du dysfonctionnement des bus new-yorkais. À l'arrivée le compteur indique 7 $. Il me donne 6 $ et sort. Que faire ? Je ne vais pas lui courir après ou appeler les flics pour 1 $. Je redémarre.
*6 $*

**15.40**  18<sup>th</sup> St & 3<sup>rd</sup> Av
Homme blanc, gros, chauve et barbu. Zéro contact.
*14,30 $*

Je décide de rentrer dans le Queens pour ne pas être en retard au garage. Un autre chauffeur doit récupérer ma voiture pour le *night shift*. J'ai peur de devoir payer une amende si je n'arrive pas à l'heure. Alors que je suis arrêté à un feu rouge, deux femmes s'engouffrent dans mon taxi : elles ont un train dans quinze minutes à Penn Station et me demandent faire au plus vite. N'ayant pas pensé à mettre mon compteur sur « *Off Duty* », je suis obligé de les prendre.

**15.50** Penn Station
       Deux femmes pressées.
       *7,50 $*

Après les avoir déposées, pile à l'heure pour leur train, je m'apprête à redémarrer quand un policier frappe à ma fenêtre : je me suis arrêté sur un passage piétons et je n'ai pas le droit de décharger des clients à cet endroit.

Je lui fais un grand sourire et lui confie que c'est mon premier jour. Je ne connaissais pas cette règle. Je promets d'être plus vigilant à l'avenir. Il hoche la tête mais me demande quand même de lui donner mon permis de conduire, ma licence et l'assurance du véhicule, puis disparaît dans sa voiture. Dix minutes plus tard, il n'est toujours pas revenu. Pourquoi met-il aussi longtemps à vérifier mes papiers ? Y a-t-il un problème avec le taxi que j'ai loué ? Il finit par réapparaître à la fenêtre et me tend mes documents accompagnés d'une feuille jaune. Je comprends tout de suite qu'il s'agit d'un PV. Il me salue et ajoute : « Avec un peu de chance vous n'aurez pas à faire ce métier trop longtemps. *Good afternoon, Sir.* » Je le remercie machinalement. Au moment de repartir, je me rends compte qu'il m'a donné trois feuilles, pour trois infractions différentes :

« Déchargement sur un passage piétons », « Stationnement à plus de 30 cm du trottoir » et « Entravement de la circulation ». 50 $ × 3 !

En arrivant au garage, in extremis, je raconte ma mésaventure au dispatcheur et aux autres chauffeurs. Ils rient et s'exclament en chœur : « *Welcome to New York !* » Ils me conseillent d'aller voir un certain Peter dans le bureau d'à côté. C'est lui qui gère les PV. Le Peter en question m'apprend qu'ils ont un avocat qui peut s'occuper de moi. Le spectre de l'avocat américain ! Combien cela va-t-il me coûter ? Rien. Ah bon, il travaille gratuitement ? Non, c'est le garage qui le paie pour fidéliser les chauffeurs.

Bilan de la journée : 18 courses
*206,45 $ – 129,17 $* (Location taxi) – *150 $* (PV) = *- 72,72 $*

Cette première journée pendant laquelle j'avais difficilement gagné 80 $ m'en coûtera au final 70.

Je prends le métro en sens inverse en direction de Fort Greene. Je sens que mon adrénaline n'est pas complètement retombée. Quand je pense que j'avais imaginé me tromper volontairement d'adresse ou faire exprès de mal rendre la monnaie afin de créer des situations pour mon scénario. Je sais, maintenant, que ce ne sera pas nécessaire. Je ne suis plus un réalisateur qui met en scène à sa guise le cours des événements. Je suis un chauffeur de taxi qui doit se débrouiller pour transporter sains et saufs des gens d'un point à un autre, le plus rapidement possible, sans se perdre, sans avoir d'accident, sans se faire arrêter par les flics, sans se retrouver avec une balle dans la tête... Les stations défilent.

Pour fêter ma première journée, nous allons dîner avec Éléonore chez Roman's, notre restaurant préféré du quartier. Je lui confie mes réflexions sur le film : quand on écrit une histoire, il est exceptionnel d'être nourri au quotidien avec autant de matière. Je suis pour l'instant dans une démarche plus proche du documentaire ou de l'étude sociologique, et j'aime ça. À chaque fois qu'un passager entre dans mon taxi, tout est possible. Il y aura des moments sans intérêt, comme des heures de rushes filmés dont je ne me servirai pas, mais aussi des situations extraordinaires, j'en suis sûr. Et je sens que, comme chez un acteur, le travail sur la longueur va infuser en moi. Je pense par exemple aux trois PV, formidable situation de comédie que je n'aurais probablement pas songé à inventer.

L'addition arrive. 102 $. Bien plus que ce que j'ai difficilement gagné en onze heures de conduite. J'ai du mal à compartimenter mes deux vies. La culpabilité me saute à la gueule. Qu'est-ce que je fais, moi le bourgeois de Fort Greene, à conduire des anonymes toute la journée ? Ou plutôt non, ce soir je me surprends à penser : « Tu veux jouer les riches avec ton resto de hipster mais tu n'en as pas les moyens, mon vieux. » Comme Al Pacino dans *Cruising* de Friedkin, en flic hétéro infiltré dans le milieu homosexuel du New York des années 70, j'ai le cul entre deux chaises.

*Mercredi 6 janvier 2016*

Quand j'arrive au garage vers 7 heures, le bureau est vide. Les autres chauffeurs commencent plus tôt. Le dispatcheur, que j'avais prévenu la veille, m'a gardé une voiture. Il me donne la même que le premier jour. Une vieille Toyota avec plus de 150 000 kilomètres dans le ventre et des sièges tachés. Je mets le contact et règle le chauffage au maximum pour essayer de « décongeler » le compteur qui ne fonctionne pas en dessous d'une certaine température.

Départ du garage : 7 h 30

**7.40**   51st St & 5th Av
Coup de bol, à peine sorti du garage, un type me fait signe à l'entrée du Queensboro Bridge. La quarantaine. Blanc. Muet.
*12,95 $*

**7.55**   57th St & Amsterdam Av
Vieille femme en jogging que je dépose à son club de gym. Muette.
*9,35 $*

**8.10**   51st St & Park Av
Homme d'affaires gominé qui passe le trajet sur son iPad.
*13 $*

**8.30**   43$^{rd}$ St & 5$^{th}$ Av
Femme blonde qui sirote son café dans un gobelet
en carton. Muette.
*7,80 $*

**9.15**   46$^{th}$ St & 6$^{th}$ Av
Asiatique. Sosie de Jackie Chan. Il regarde la TV.
*12 $*

**9.55**   25$^{th}$ St & Park Av
Femme blanche d'une trentaine d'années qui sort
sa trousse de maquillage et se refait une beauté.
J'évite les nids-de-poule.
*11,15 $*

Près d'une heure que je tourne à vide, entouré
d'une marée de taxis libres. Du jaune partout. Idée
de plan très graphique pour le film.
Je décide de me garer devant le Whitney Museum.
Il n'y a pas de stations de taxis dans cette ville. Les
hôtels et les musées sont les seuls endroits où l'on
peut attendre le client.

**10.50**   Houston St & Hudson St
Trois hommes en costard qui ont visiblement participé à la construction du musée et se plaignent
de la main-d'œuvre. L'un d'eux, trop gros pour
tenir à l'arrière, s'installe sur la banquette avant.
Festival de blagues graveleuses. Le type à côté de
moi me lance un clin d'œil complice. Je fais semblant de ne pas comprendre. Je les imagine bien
après leur journée de boulot en train de boire des
pintes de bière dans un club de strip-tease de
Hell's Kitchen. Comment se comporteraient-ils si
j'étais une femme ? Seraient-ils plus discrets, plus

69

misogynes, plus dragueurs ? L'appelleraient-ils par
son prénom en lisant sa licence ? Et mon héroïne,
comment réagirait-elle ? Suivrait-elle les conseils
des instructeurs de l'école de taxi ? Ne jamais
répondre aux provocations, ne pas parler de sujets
qui fâchent, de politique, et se dire que l'on ne
reverra sûrement jamais ces gens, qu'ils soient
sympathiques ou odieux. Si elle veut garder son
job, elle n'a pas le choix, elle doit faire profil bas.
Elle est une immigrée comme les autres, dans une
situation précaire. Elle cerne vite son nouveau
rôle.
*12 $*

**11.20**  Hudson St & W10th St
Type bodybuildé, 40 ans, super speed. Il soupire
à chaque fois que je m'arrête à un feu.
*9,35 $*

**11.55**  Chelsea Market
Couple de Suédois très sympathiques. On parle
de Stockholm. Ils me demandent ce que je faisais
avant de conduire un taxi. Je leur explique, une
nouvelle fois, que je suis « *writer* » mais que j'ai
besoin d'arrondir mes fins de mois. Le mari me
confie que lui aussi est écrivain. Il vient de publier
une biographie de David Bowie, sans jamais
l'avoir rencontré. Ils ont prévu d'aller à un grand
concert en hommage au chanteur le lendemain
pour ses 69 ans. Je leur conseille de tenter leur
chance chez Emilio's Balato, un restaurant italien
du Lower East Side, où il va régulièrement dîner
en voisin. Ils sont très excités et me remercient
chaleureusement pour le tuyau. Bowie meurt
quatre jours plus tard.
*10 $*

**12.20** 30<sup>th</sup> St & 1<sup>st</sup> Av
Gros type sordide. Muet.

*12,35 $*

Je décide d'aller déjeuner avec un ami architecte qui vit depuis douze ans à New York. À partir de demain, je me promets de me contenter d'un sandwich en solo mais, pour le moment, j'ai encore besoin de décompresser en partageant mon expérience. Je lui propose d'aller le chercher à son bureau dans le quartier de Wall Street et de l'emmener en taxi à Tribeca où il a un rendez-vous à 15 heures.

Je mets mon compteur sur « *Off Duty* » et prends le FDR vers le sud. Je suis le panneau MANHATTAN CIVIC CENTER, me trompe de sortie et me retrouve sur le pont en direction de Brooklyn. Sueur froide. Heureusement que je ne suis pas avec un client !

Dix minutes plus tard, François, hilare, me découvre au volant de mon taxi. À sa demande, j'enclenche le compteur. Nous traversons le bas de la ville en discutant de cette nouvelle expérience. Je lui fais part de ma surprise et de ma déception de ne pas pouvoir échanger plus avec mes clients. De ce sentiment étrange de se sentir invisible. Je songe au même instant que cette idée d'invisibilité est très intéressante pour mon personnage d'actrice. Quoi de plus terrible pour une comédienne que de disparaître du regard des autres ? En s'engageant dans cette voie, elle n'a pas anticipé. Elle prend cette nouvelle donne de plein fouet. Et en même temps, le fait de ne pas attirer l'œil, ni par sa féminité, ni par sa nationalité, ni encore par son aspect physique (il faudra qu'elle

71

porte bonnet, veste large, jean, baskets comme moi), est aussi la preuve de son intégration et de son assimilation du rôle qu'elle s'est donné : elle n'est plus l'actrice mais le personnage, une chauffeuse de taxi parmi d'autres, crédible. De ce point de vue, c'est une forme de réussite.

**13.00**  71 N Moore St
François. Je lui offre la course.
*0 $*

L'idée d'un savoureux *bacon cheese burger* chez Smith & Mills nous ravit. Nous tournons dans le quartier un bon quart d'heure sans trouver où nous garer. En désespoir de cause, nous décidons de mettre le taxi au parking. Incongru. Le gardien à l'entrée nous annonce le tarif astronomique de 42 $ de l'heure ! Nous repartons donc à la recherche d'une place. Nous finissons par en trouver une vingt minutes plus tard à deux *blocks* du restaurant. Se garer à Manhattan est toujours un peu hasardeux car on ne sait jamais ce qui est vraiment autorisé ou pas. Les panneaux sont compliqués à déchiffrer et même parfois contradictoires. Cet emplacement a l'air bon. Nous rions en imaginant que je me fasse enlever mon taxi. Absurde.

Nous marchons jusqu'au restaurant. L'endroit est toujours aussi agréable et le burger tient ses promesses. Je l'accompagne d'un demi-verre de bière après avoir vérifié sur Internet la quantité d'alcool qu'un chauffeur de taxi a le droit d'ingurgiter (deux fois moins qu'un conducteur lambda).

Nous nous quittons après le café. François part au pas de course, en retard à son rendez-vous, alors que je me dirige tranquillement vers mon taxi. Il me reste deux heures de boulot avant de retourner au garage.

Lorsque j'arrive au coin de Hudson Street et de Harrison Street, je constate avec effroi que ma voiture n'est plus là. Je reste, comme un con, au milieu du carrefour, incapable de refréner un petit rire nerveux. Je cherche du regard le policier le plus proche pour essayer de comprendre pourquoi mon *cab* a été enlevé. J'exclus immédiatement l'idée d'un vol. Qui serait assez dingue pour voler un taxi ? Pourri qui plus est… Une voiture de flics est en faction de l'autre côté de la rue.

J'explique ma situation à l'officier qui est au volant : je suis chauffeur de taxi (le type me toise), je m'étais garé devant le 12 Harrison Street, je suis parti m'acheter un sandwich (ça fait plus sérieux) et, quand je suis revenu, mon véhicule avait disparu. Il me demande ma plaque d'immatriculation. Je ne la connais pas. La marque de la voiture. Aucune idée. Je lui tends la clef sur laquelle est inscrit le numéro 14. Il me regarde, atterré. Sa collègue, sympathique, entre l'adresse que je viens de lui donner dans son ordinateur et m'annonce que mon taxi est à la fourrière (12th Av & 38th St).

Il est 15 heures. Je dois impérativement être retourné dans le Queens avant 17 heures si je ne veux pas en plus payer la pénalité de retard. Le temps presse. Pas le choix : je saute dans un taxi (!) et arrive dix minutes plus tard à la fourrière.

Je pensais être le seul assez inconscient pour me faire enlever un *yellow cab* mais, à ma grande surprise, deux autres sont garés à côté du mien dans le parking.

Je ressors une heure plus tard et fonce en direction du garage. C'est la pire heure pour circuler dans New York. Je mets cinquante-cinq minutes pour arriver à destination. Moins une.

Peter me demande, tout sourire, si ça s'est bien passé : « Pas de PV aujourd'hui ? » Je lui sors, penaud, ma contravention à 65 $, omettant bien de lui parler des 185 $ que j'ai dû payer en plus pour récupérer la voiture.

Bilan de la journée : 12 courses
*109,95 $ – 136,37 $* (Location taxi) *– 185 $* (Fourrière) *– 65 $* (PV) = *– 276,42 $* !

275 $ de perte aujourd'hui !
70 $ hier !
Peut-être suis-je inadapté ?
Je me console en me disant que j'ai de la bonne matière pour le film. J'en oublierais presque que c'est ma priorité...

Dans la soirée, ma mère m'appelle pour me dire qu'une de mes cousines américaines vient de perdre son mari dans un accident de voiture. L'enterrement a lieu le surlendemain en Floride.

Je préviens le garage que je ne serai pas de retour avant lundi et m'envole pour Palm Beach. Je passe, en quelques heures, d'un extrême à l'autre de l'Amérique, des laissés-pour-compte aux ultra-milliardaires. Grand écart étourdissant. Quand je raconte mon histoire là-bas, le malaise est palpable. *Taxi driver* est vraiment considéré comme un sous-métier. Comment, même dans le but de faire mes recherches, ai-je pu en arriver là ? Seuls quelques centimètres séparent l'avant de l'arrière du taxi mais c'est en réalité d'un fossé qu'il s'agit. Je garde cette réflexion pour moi... On a toujours l'impression que les riches sont plus à l'abri de la mort que les autres, surtout dans un pays où l'on peut mourir de ne pas avoir les moyens de bien se faire soigner.

C'est certainement l'enterrement le plus triste auquel j'ai assisté dans ma vie. Ma cousine et son fiancé venaient de se marier. La plupart des gens réunis autour du cercueil étaient présents trois semaines auparavant pour célébrer leur union. L'injustice est terrible.

Deux jours plus tard, dans l'avion du retour, je me remets à penser à mon film. J'imagine que mon personnage principal vienne d'un milieu bourgeois. Sa mère pourrait lui rendre visite de Paris. Une femme pleine de certitudes et de préjugés. Elle représente le « monde d'avant », celui que l'héroïne a fui, le passé dans lequel elle ne se serait jamais imaginée au volant d'un *yellow cab*. La mère insisterait pour « faire un petit tour de taxi ». Elle trouverait ça assez exotique dans un premier temps, puis lassant, puis franchement absurde : quelle mouche a piqué sa fille ? Où croit-elle que cette lubie puisse la mener ?

À l'aéroport de La Guardia, je prends un taxi. Au milieu des embouteillages, j'engage la discussion avec le chauffeur. Je lui pose toute une série de questions et finis par lui avouer que je suis moi aussi *taxi driver*. Il jette un coup d'œil à mon costume dans le rétroviseur. Je sors ma licence. Il n'en revient pas. Je lui explique que je prépare un film. Il adore ma démarche et se met à me donner un tas de conseils. Les meilleurs endroits où trouver des clients, comment éviter les flics, quels aéroports privilégier, les meilleurs horaires pour bosser... *Good tip*.

## *Lundi 11 janvier 2016*

Ce matin, il fait – 12°. L'air chaud de Floride n'est qu'un lointain souvenir.

Départ du garage : 7 h 35

**8.10**  La Guardia Airport
Asiatique d'une trentaine d'années. Je n'arrive pas à ouvrir le coffre et suis obligé de mettre sa valise à côté d'elle. Ça la fait rire. Un peu plus tard, je lui parle. Elle ne me répond pas. Elle a un casque sur les oreilles.
*51,79 $*

Je décide de ne pas rester à l'aéroport et de revenir à Manhattan par le Queens en espérant trouver un client en route.

**8.50**  University Place & 11^th St
Après avoir roulé vingt minutes dans des quartiers où l'utilisation du taxi ne semble pas faire partie des mœurs, et m'étant donc résigné à rentrer à vide, je m'engage sur une avenue surplombée par un métro aérien. Alors que je note dans mon carnet : « Roosevelt Avenue – Queens : bon décor

pour une séquence de jour », un type avec un chapeau de cowboy blanc me hèle. Il est mexicain, sort d'un restaurant de tapas (à 9 heures du matin ! ?) et m'annonce d'entrée de jeu qu'il est complètement bourré. Il me parle non-stop, de son frère qui a un cancer, de son addiction à la drogue, du restaurant français dans lequel il a travaillé, de Madame Jeanne… Longue logorrhée qui nous mène jusqu'à University Place dans Manhattan. Il me donne un bon pourboire et s'éloigne en titubant.

*45 $*

**9.49**   99 Gansevoort St
Femme blanche. 30 ans. Muette.
*8,15 $*

**10.15**   111 Broadway
Femme blanche. 30 ans. Muette et radine.
*12 $*

J'écoute du jazz sur WBGO (88.3) et quadrille Manhattan, inlassablement, sans succès.

Une heure et demie à vide.

Dès que quelqu'un lève le bras pour se gratter la tête ou ajuster son bonnet, j'ai l'impression qu'il me fait signe.

Très important de traiter ces moments de solitude et d'attente dans le film. Ces moments où l'héroïne est dans sa bulle, à l'abri du monde, du froid, du bruit, qu'elle écoute sa musique, en spectatrice privilégiée du ballet des rues de New York. En « spectatrice ».

**12.00**   Washington St & Canal St
Quatre types avec des vestes jaunes fluorescentes et des casques à la main. Zéro contact.
*7,55 $*

77

**12.11** 23<sup>rd</sup> St & 6<sup>th</sup> Av

Femme rousse, 50 ans, au téléphone.

*10 $*

Pause déjeuner. Je consulte ma boîte mail en mangeant un *chicken burrito* au Chipotle de la 8<sup>e</sup> Rue.

Je tombe sur un message du père d'Éléonore :

11 janvier 2016 – 8 h 02
Jean-Louis POURRIAT à Benoit COHEN – « 黄色出租车 »

Mon Benny,
Pensé à toi ce matin en arrivant à l'aéroport de Pékin.
J'ai réalisé qu'ici les taxis étaient eux aussi jaunes (en fait jaune et vert mais ça n'a aucune importance). J'en ai pris un pour rejoindre la ville. J'ai pu lier conversation avec le chauffeur, au début pas bavard, et puis je me suis lancé en disant que mon fils (je ne connais pas le mot chinois pour gendre, c'est con parce que j'aurais pu dire le mari de ma fille, mais j'avais peur de m'égarer), donc en lui disant que mon fils était chauffeur de taxi à New York... Là, son visage s'est illuminé au point qu'il a failli rentrer dans un autre taxi, arrêté brusquement ; je lui ai dit que tu étais cinéaste et que tu préparais un film sur le sujet. T'aurais vu sa tête. Il était tout excité. La conversation s'est malheureusement interrompue car nous étions arrivés à destination et que mon vocabulaire s'était épuisé...
Bises

JL

Cette aventure intrigue beaucoup les gens autour de moi. Comment je vis au jour le jour ce nouveau métier ? Pour combien de temps ? Vais-je y prendre goût au point de prolonger l'expérience ? Ai-je plus de plaisir à côtoyer des inconnus toute la journée ou à rester des heures à écrire seul devant mon ordinateur ? Ai-je vraiment besoin de cet argent ? Cette histoire de film n'est-elle qu'un prétexte ? Je ne suis pas certain d'avoir moi-même les réponses à toutes ces questions.

**13.25**  1 Central Park West
Asiatique, la quarantaine, au téléphone. Il donne des conseils à un ami. « Tu devrais aller jusqu'au bout, tu ne le regretteras pas. » « Achète-la, cela fera de toi un dieu. Tu seras Superman. Tu as besoin de ça dans ta vie. » « Elle n'est pas d'ici. » « Tu dis qu'on est juste des êtres humains mais c'est faux. » « Elle te mettra en contact avec d'autres planètes. » « Tu ne seras plus une victime. »... À quelle secte appartient ce type ? Je tends l'oreille et finis par comprendre qu'il parle, le plus sérieusement du monde, d'une pierre précieuse au pouvoir magique ! Je vérifie que mon enregistreur est bien en marche. Hâte de réécouter cette conversation à tête reposée.
*15,35 $*

**14.10**  Riverside & 86th St
Homme d'affaires black en costard cravate. À l'arrivée le compteur affiche 6,20 $. Il me tend un billet de 10 $ en me disant de garder la monnaie. Il a du vernis orange sur les ongles.
*10 $*

**14.30** 240 E 38ᵗʰ St
Vieille femme impotente accompagnée de deux aides-soignants. À chaque croisement, elle m'indique fermement le chemin à prendre. Crispante.
*22 $*

**15.00** 67ᵗʰ St & Broadway
Deux filles d'une trentaine d'années qui parlent de séries TV, de restaurants, de cocktails puis tout à coup l'une d'elles dit : « L'autre jour il y a un type qui s'est jeté par la fenêtre au coin de cette rue. Juste au moment où je passais. C'était très bizarre... » L'autre : « *Oh my god* ! Tu crois qu'il s'est jeté la tête la première pour être sûr de ne pas se rater ? » « Oui, probablement... Tu sais on parle souvent du suicide avec mon mari. »
*19,55 $*

**15.15** Duane St & Church St
Unijambiste. Muet.
*26,30 $*

Bilan de la journée : 12 courses
*227,69 $ − 138,95 $* (Location taxi) = *+ 88,74 $*
(Enfin !)

Une seule envie, me mettre au lit avec un bon film. Cela fait plusieurs semaines que je repousse le moment de revoir le magnifique *Tu ne tueras point* de Kieslowski, partagé entre l'envie d'analyser sa manière de filmer la vie de ce chauffeur de taxi polonais et l'appréhension de retrouver la violence du meurtre perpétré par le jeune héros. Y aura-t-il une agression dans mon film ? Mon héroïne aura-t-elle peur lorsqu'elle prendra le volant ?

Les rues de New York sont beaucoup plus sûres qu'il y a quelques années. Lors de mes trois premiers jours de conduite, je n'ai quitté Manhattan que pour aller à l'aéroport et n'ai jamais rencontré de passagers inquiétants ou menaçants. Je changerai peut-être d'avis en commençant à travailler la nuit...

*Mardi 12 janvier 2016*

Quand j'arrive au garage, Kenny me tend la clé de la 14 et m'annonce : « J'ai décidé de te faire une ristourne de 15 $ par jour cette semaine pour t'aider à gagner un peu plus d'argent. Essaie d'éviter les flics et de conduire prudemment. » Je repense à l'instructeur de l'école qui nous conseillait de nous mettre le dispatcheur dans la poche. Visiblement celui-ci m'apprécie... Que faire de plus ? Dois-je simplement le remercier ? Lui laisser un pourboire ? J'hésite. Trop tard, il s'occupe déjà d'un autre chauffeur. J'essaierai d'être plus réactif la prochaine fois.

Départ du garage : 7 h 30

**7.50**  39th St & 7th Av
Femme d'affaires, rousse. 40 ans. Muette.
*12 $*

**8.00**  Broadway & Exchange Place
Femme en jogging, blonde. 45 ans. Muette.
*6 $*

**8.20**  Broadway & Chambers
Femme en fourrure, brune. 50 ans. Muette.
*18,85 $*

**8.35**  17<sup>th</sup> St & Union Square West
Vieille femme très mince avec un chapeau rond
et de grosses boucles d'oreilles. Muette.
*9 $*

Que des femmes ce matin. Si j'étais une conductrice, peut-être me parleraient-elles, pour se confier
ou simplement s'étonner de voir une femme au
volant. C'est dans ces moments-là qu'on pourrait
apprendre certaines informations, plus personnelles,
sur l'héroïne. Ce sont peut-être ces femmes qui
amènent le personnage à s'ouvrir à cette ville, à en
ressentir pleinement l'énergie. Je suis toujours frappé
par la facilité avec laquelle les gens se parlent à New
York, partout, dans la rue, dans le métro, dans les
magasins. Même si c'est pour tout et rien dire, ils
échangent, et cet échange est précieux et vivifiant
quand on vient d'ailleurs et qu'on ne connaît
personne.

**8.45**  Mercer St & Grand St
Black d'une trentaine d'années avec des dreadlocks multicolores. Elle m'indique son chemin
préféré. Je lui avoue que c'est ma première
semaine. Elle me demande si je trouve les New-
Yorkais sympathiques. Je réponds oui, sans
hésiter.
*14,75 $*

Je longe Washington Square. Presque tous les buil-
dings qui entourent le parc appartiennent à l'Université de New York (NYU). Je me souviens de mon
premier jour de cours dans cet immense immeuble
en briques du coin de la 4<sup>e</sup> Rue. Tout juste débarqué

de l'avion, je me suis retrouvé dans un amphithéâtre entouré d'une cinquantaine d'autres étudiants, la plupart étrangers. Il s'agissait d'une formation intensive pendant laquelle nous étions censés apprendre les rouages du cinéma en moins de six mois. J'avais déjà passé deux ans en fac d'archi à Paris, j'étais pressé, et ne me voyais pas repartir pour quatre ans d'études à la FEMIS ou ailleurs. Le programme proposait, en un temps record, de nous faire expérimenter les étapes de la conception d'un film depuis l'écriture du scénario jusqu'à la fabrication de la première copie d'exploitation. Efficacité à l'américaine. D'ailleurs le chef du département avait tout de suite donné le ton : « Vous ne voulez pas devenir cinéastes, vous êtes cinéastes. » Il avait ensuite remis à chacun de nous une petite caméra 16 mm chargée d'une bobine de film de 10 minutes et nous avait envoyés dans les rues de Manhattan pour réaliser notre premier film tourné-monté. Pas le temps de cogiter.

J'avais ensuite passé plusieurs mois à engranger frénétiquement conseils et informations prodigués par des professeurs plus passionnants et passionnés les uns que les autres. Je vivais avec mon frère Julien dans un appartement de l'Upper West Side prêté par une amie de la famille. Nous nous nourrissions de hot-dogs, de tranches de pizza à 1 $ et de l'énergie délirante de cette ville au début des années 90. Les loyers restaient abordables. Les artistes ne s'étaient pas encore exilés à Brooklyn ou dans le Queens. Il y avait à Manhattan une diversité plus grande qu'aujourd'hui, un mélange de classes sociales, une scène musicale effervescente, des quartiers défendus et un sentiment de liberté absolue.

À la fin du cycle, un concours désignait cinq élèves qui avaient le privilège de pouvoir réaliser un court-métrage. J'avais présenté un scénario intitulé *There Must Be Some Way Out Of Here*, en hommage à la chanson de Bob Dylan. Je racontais l'histoire d'un homme qui veut se suicider mais qui, n'ayant pas le courage de passer à l'acte, décide d'engager un tueur à gages avec la consigne de ne renoncer sous aucun prétexte. Le lendemain, il tombe amoureux et ne veut plus mourir. Malheureusement, le tueur est déjà à ses trousses.

Mon projet a été sélectionné et j'ai pu réaliser mon premier film, soutenu par tous les autres élèves de la promotion.

En rentrant à Paris, le mois suivant, j'ai découvert, stupéfait, que les murs étaient recouverts d'affiches du nouveau film d'Aki Kaurismäki, *J'ai engagé un tueur*, basé exactement sur la même intrigue que mon court-métrage. J'ai écrit sur-le-champ au réalisateur finlandais pour lui exposer la situation. Il m'a répondu une lettre, tapée à la machine, dans laquelle il m'expliquait que Hitchcock avait déjà utilisé cette histoire, bien avant nous, dans une de ses séries télévisées.

Quelques mois plus tard, j'ai reçu un coup de téléphone un dimanche aux aurores : « C'est Aki Kaurismäki. Retrouvons-nous à la Brasserie de l'École militaire ce soir à 19 heures. » Bien que persuadé qu'il s'agissait d'une blague, j'ai accepté l'invitation.

Lorsque je me suis présenté au bistrot en fin d'après-midi, il était accoudé au bar avec sa femme et ses deux chiens. Je n'en menais pas large. Jean-Pierre Léaud nous a rejoints un peu plus tard et nous avons traversé l'avenue pour aller dîner dans un petit restaurant thaïlandais où ils avaient leurs habitudes. Quelques techniciens finlandais se sont greffés à nous. L'alcool a coulé à flots et Louis Malle est passé boire un verre. J'avais vingt ans, j'étais aux anges, entouré de mes idoles. Le patron du restaurant a fini par nous mettre dehors, la réserve de bière étant épuisée.

En nous séparant, tard dans la nuit, j'ai tendu à Kaurismäki la cassette VHS de mon court-métrage. Il s'est penché vers moi et m'a glissé à l'oreille : « Si je ne vous rappelle pas, c'est que j'ai beaucoup aimé. » Même ivre mort, il gardait son esprit.

**8.55**    403 Bleecker St
Asiatique. Muet. Huit billets de 1 $ et trois pièces de 10 cents. Pas de pourboire.
*8,30 $*

**9.11**    22$^{nd}$ St & 8$^{th}$ Av
Homme frisé. 45 ans. Muet.
*8,15 $*

Je me retrouve de nouveau entouré de dizaines de taxis libres. Je décide de prendre la tangente et de m'aventurer dans Alphabet City (Avenues A, B, C & D) moins fréquentée que le centre de Manhattan. Tout à coup, mon ordinateur de bord se met à sonner. Une adresse clignote sur l'écran. Avec au choix : « *Accept* » or « *Refuse* ». Je ne sais pas du tout comment marche ce système mais j'accepte. « L'appel de l'aventure », comme est décrit ce moment décisif dans certaines méthodes de scénario.

Un *block* plus loin, Jade (comme l'indique l'écran) m'attend sur le perron de son immeuble.

**9.40** 42nd St & 3rd Av

Jade. Asiatique de 35 ans. Elle me demande de faire demi-tour et de prendre le FDR. Devant moi, une voiture de flics. Je décide donc de contourner le pâté de maisons plutôt que de prendre le risque d'un nouveau PV. Malheureusement, je me retrouve dans un cul-de-sac et je suis obligé de faire un grand détour pour rejoindre la route conseillée par ma passagère. Je m'excuse et lui explique que je suis débutant. Très patiente, elle me rassure et se met à me poser des questions sur les démarches à suivre pour obtenir sa licence de *yellow cab driver*. Cette discussion nous mène tranquillement jusqu'à la 42e Rue. Bon pourboire.

*13,53 $*

L'appel de l'aventure n'a pas tenu ses promesses. Je me console en pensant que, dans le film, ce pourrait être l'intervention d'un personnage secondaire étrange, que l'héroïne aurait peut-être même évité si elle l'avait aperçu au bord de la route. Maintenant qu'elle a accepté la course, elle n'a plus le choix. Et l'histoire prend un tournant décisif.

**10.15** 711 12th Av

Couple d'une cinquantaine d'années avec valises. Lui porte une chemise hawaïenne malgré le froid. Je les dépose au Manhattan Cruise Terminal. Ils partent en croisière aux Caraïbes.

*18,35 $*

**10.45** 199 Water St
Homme très mince, 50 ans. Muet.
*25,55 $*

**11.50** Columbus Circle
Vieil homme en route pour un déjeuner d'affaires
au Time Warner Center. J'hésite à lui dire que je
suis cinéaste, on ne sait jamais, il est peut-être du
métier, mais j'ai la flemme tout à coup. Je me tais.
Lui aussi.
*17,90 $*

**12.25** 85ᵗʰ St & Park Av
Nounou anglaise avec deux mômes silencieux.
Plutôt rare à New York.
*9,95 $*

*Lunch time.* Je me gare devant la vitrine de Luke's sur
la 82ᵉ Rue. Le caissier semble surpris de me voir com-
mander un *lobster roll* à 16 $. Il ne doit pas avoir beau-
coup de chauffeurs de taxi dans sa clientèle. Le homard
est tiède et le pain moelleux. Délicieux ! Et bien mérité.

**13.05** 95ᵗʰ St & Madison Av
Vieille Japonaise ridée. Zéro contact.
*6 $*

**13.35** Hospital for Special Surgery
Hipster barbu. Zéro contact.
*22,55 $*

**14.35** 168ᵗʰ St & Riverside Drive
Type d'une cinquantaine d'années qui m'indique
sa destination, se met un casque sur les oreilles et
écoute de la musique classique, très fort, jusqu'à
l'arrivée.
*19 $*

Je redescends Broadway à travers Harlem. Au coin de la 123ᵉ Rue, un clochard traverse devant moi. Il porte une pancarte sur laquelle est écrit : « Trop vieux pour me prostituer. » Je souris. Il vient frapper à mon carreau. Je fouille dans ma poche et lui tends un des dollars gagnés ce jour-là. Le type disparaît. Un autre taxi s'arrête à ma hauteur et le conducteur black commence à m'engueuler. Il me dit qu'il ne faut pas donner de fric à ce mec qui est là tous les jours et qui ferait mieux d'aller travailler, comme nous. Comme nous.

**15.15**  72ⁿᵈ St & York Av
Femme, 45 ans. Enfant, 7 ans. La mère, très douce, dit à sa fille que si elle veut, elle pourra l'accompagner à l'anniversaire de sa copine de la nouvelle école le week-end prochain et rester un peu avec elle si ça peut la rassurer. La gamine répond sèchement : « T'as pas intérêt. Si tu viens j'y vais pas ! »
*15 $*

**15.40**  101ˢᵗ St & Amsterdam Av
Homme. 50 ans. Veste vert pomme et cravate à pois jaunes. Muet.
*23,75 $*

Il faut que je rentre au garage. Je mets mon compteur sur « *Off Duty* ». Quelques *blocks* plus loin, une femme lève le bras devant moi. Je m'arrête et lui demande sa destination. C'est sur mon chemin. Je relance mon compteur et la prends. Un vrai pro.

**16.10**  75ᵗʰ St & Broadway
Femme de 60 ans. Elle me raconte que son mari est en voyage d'affaires et qu'elle en profite pour

sortir au théâtre tous les soirs. Je lui conseille d'aller au BAM de Brooklyn voir l'incroyable *Cerisaie* de Tchekhov, mise en scène par Lev Dodin. C'est en version originale, joué par une troupe russe époustouflante. On a l'impression d'assister aux premières représentations de la pièce à Moscou au début du siècle dernier. Elle me remercie. Je détecte une certaine incrédulité dans son regard.

*9 $*

Retour au garage. Lorsque j'entre dans le bureau, une demi-douzaine de chauffeurs africains parlent entre eux en français. Naturellement, je m'adresse à eux dans ma langue maternelle, mais ils me répondent en anglais. Bizarre.

Le dispatcheur me demande s'il me garde une voiture pour le lendemain. Non, je ne serai de retour que jeudi. J'ai décidé dorénavant de ne conduire qu'un jour sur deux pour avoir le temps de consigner mes journées, au fur et à mesure, tant que c'est encore frais. Je ne pourrai jamais réécouter les centaines d'heures d'enregistrement avant de me mettre à écrire le scénario. Je lui explique que j'ai un autre boulot. Sans entrer dans le détail. S'il insistait, je serais obligé de mentir.

Intéressant d'ailleurs que mon héroïne, profitant de ce nouveau pays où personne ne la connaît, se surprenne à s'inventer différentes vies qu'elle raconterait aux passagers, conduisant le spectateur, par la même occasion, sur des fausses pistes. Qui est-elle ? On l'apprendrait plutôt par des flash-backs tandis qu'elle défierait la réalité par le biais de la fiction, course après course. Le mensonge comme une forme de protection. D'autant plus intéressant dans un pays où mentir est considéré comme une faute grave.

Elle utilise ses talents d'actrice, elle se démultiplie pour se créer une nouvelle dimension dans ce nouveau pays, et trouver sa place. Mais quelle est la frontière entre jouer et mentir ? Entre mentir aux autres et se mentir à soi-même ?

Bilan de la journée : 17 courses
*257,63 $ – 133,82 $ (Location taxi) = + 123,81 $*

## Mercredi 13 janvier 2016

Nous revoilà, Éléonore et moi, chacun à un étage de la maison en train d'écrire, dans nos bulles. On se retrouve dans la cuisine pour déjeuner. On échange nos impressions sur le travail en cours. Elle sa comédie romantique pour Netflix, moi mon journal de *cab driver*.

Pendant des mois nous avons regretté de ne pas rencontrer assez d'autochtones, de ne pas plus pratiquer la langue, de ne pas vraiment nous intégrer à la vie new-yorkaise. Nous attendions avec impatience notre premier tournage américain pour nous sentir complètement assimilés. C'est finalement par le biais du taxi que je suis en train d'y parvenir. Éléonore attendra encore un peu. Le projet sur lequel elle travaille en ce moment, son premier long-métrage en tant que réalisatrice, doit se tourner à Paris.

## Jeudi 14 janvier 2016

Réveil à 6 heures. Petit déjeuner avec mon fils. Il me parle des films qu'il a l'intention de voir ce week-end. Sa solitude d'ado expatrié l'a rendu cinéphile.

On part ensemble prendre le métro. Quais opposés.
Lui en direction de son école à Manhattan, moi de
mon garage dans le Queens.

Départ du garage : 7 h 30

**7.50**   44<sup>th</sup> St & 7<sup>th</sup> Av
Un homme et une femme, la quarantaine. Ne
m'adressent pas la parole. En cours de trajet, le
type me dit : « *Hey driver ! Drop us here.* » Arrêtez-
vous là, chauffeur. En français, c'est encore plus
condescendant. Ils disparaissent.
*10 $*

**8.00**   70<sup>th</sup> St & Madison Av
Femme sans maquillage. Muette.
*11,60 $*

Au moment de redémarrer, j'aperçois un *block*
plus loin le *doorman* d'un immeuble qui cherche un
taxi. Un appel de phares. Il me fait signe qu'il m'a
vu. Le temps que le feu passe au vert, son collègue
a intercepté une autre voiture. Le premier *doorman*
s'excuse avec un large sourire. Il est grand, les cheveux gris, très élégant, sympathique, et ne doit pas
avoir loin de 70 ans. *Doorman* à cet âge-là. Je repense
au couple de vieux qui passaient leur licence de taxi
ou aux vieillards qui arrondissent leur retraite en
devenant gardiens de musée. Comme si la mort était
le seul obstacle au travail des New-Yorkais.

**8.10**   83<sup>rd</sup> St & 1<sup>st</sup> Av
Femme, visage pâle et lèvres rouges. Muette.
*8 $*

**8.25**  ONU

Vieil homme d'affaires très chic, *Financial Times* sous le bras. Il me dit simplement : « *U.N. Take the Drive.* » J'en conclus qu'il va à l'ONU (U.N. en anglais) et qu'il veut que je prenne le FDR (en espérant que « *Drive* » veuille bien dire ça). Je commence à transpirer. Nous sommes sur la 84e Rue et je ne sais pas exactement où se trouve l'entrée la plus proche du périphérique. Je regarde sur mon GPS, sans succès. Le type, remarquant que je suis paumé, me dit de prendre par la 75e. Je repère un panneau qui indique le FDR au niveau de la 80e et décide de le suivre, de peur d'avoir mal compris les indications de mon passager. Nous nous retrouvons à l'arrêt au bout de quelques mètres. Le type lève les yeux de son journal, furieux. « J'avais dit 75, pas 80 ! On va rester bloqués une heure dans cette rue qui est probablement la pire de New York et je n'ai pas une heure à perdre dans un taxi. » Je m'excuse. Je suis comme un enfant pris en faute qui fait le dos rond en attendant que ça passe mais je ne peux en même temps m'empêcher de penser à mon enregistreur qui tourne, espérant secrètement que le vieux pète vraiment les plombs. Je suis là pour ça, non ? Nourrir mon scénario. Je m'excuse à nouveau, prétendant que c'est mon premier jour. Il répond sèchement que ça fait cher la leçon. Je lui propose d'arrêter le compteur avant d'arriver à destination. Il hausse les épaules et se replonge dans son journal. Après une quinzaine de minutes au pas, nous finissons par échapper à l'embouteillage. Quelques *blocks* avant d'arriver à destination, j'annonce à mon passager que j'ai arrêté le compteur. Il me remercie en promettant un gros pourboire : « *I'll pay you back with a good tip.* » C'est aussi ça l'Amérique, le grand écart permanent.

*14,80 $*

Je dépose le businessman devant un immeuble attenant à l'ONU. Le *doorman* m'annonce que quelqu'un vient de l'appeler de l'ascenseur et voudrait que je l'attende. Pour être certain que je ne lui fasse pas faux bond, cette personne a demandé que je mette le compteur en marche (ce qui n'arrive jamais à New York). Cinq minutes plus tard je vois apparaître une très vieille dame (cent ans peut-être ?) avec un manteau en fourrure élimé.

**8.50** 83$^{rd}$ St & Park Av
La vieille à la fourrure. À peine entrée dans le taxi, elle me remercie de l'avoir attendue puis s'excuse car elle doit passer un coup de téléphone. Elle raconte à son interlocuteur qu'elle part chez le médecin pour la sixième fois depuis le début du mois. Elle relativise et ponctue chacune de ses phrases par un petit rire vif. Après avoir raccroché, elle me demande ce qui m'a poussé à devenir chauffeur. Je lui sers mon histoire de « *writer* ». Elle est curieuse, enthousiaste et conclut par : « Je suis très heureuse d'avoir eu un chauffeur aussi sympathique ce matin. » Généreux pourboire.

*17,90 $*

Je l'imagine en bonne fée pour mon héroïne : « Si vous avez besoin de quoi que ce soit, ma chère, vous savez où me trouver. Je ne sais pas si j'y serai encore très longtemps, mais tant que j'y serai, vous pouvez compter sur moi. » Un jour, peut-être, elle revient la voir… (trop tard ?).

**9.00**  80<sup>th</sup> St & York Av
Femme silencieuse et enfant endormi.
*8,75 $*

**9.10**  70<sup>th</sup> St & York Av
Mec barbu. Blouson rouge vif. En retard à un rendez-vous. Il me demande de la déposer 4 *blocks* plus loin. Pour s'excuser, il double le montant indiqué au compteur.
*8 $*

**9.20**  80<sup>th</sup> St & Park Av
Homme blanc. 50 ans. Ni *hello*, ni *good bye*.
*9,95 $*

**9.35**  131W 35<sup>th</sup> St
Un type blond et costaud frappe à mon carreau. « J'ai besoin d'aller au New York Golf Center » avec un fort accent nordique. Je lui fais signe de monter. Il me donne l'adresse et se met à téléphoner. J'essaie de deviner quelle langue il parle. Ça ressemble à du finlandais mais quelque chose ne colle pas. Au moment de descendre, je lui demande d'où il vient. C'est un vendeur de poissons islandais.
*12,35 $*

Cela fait une demi-heure que je tourne à vide en écoutant du jazz à la radio. Au croisement de Broadway et de la 72<sup>e</sup> Rue, je m'arrête au feu. Mon esprit divague. Je regarde les passants en imaginant leurs histoires personnelles. Une jolie femme d'une trentaine d'années traverse devant moi. Je la fixe un moment, nos regards se croisent puis je tourne volontairement la tête. Je n'ai jamais été un mateur. Encore moins ici, aux États-Unis, où c'est considéré comme très agressif. Alors que je m'apprête à redémarrer, la fille, sans me faire le moindre signe, ouvre la porte de mon taxi et s'installe sur la banquette arrière. Je rougis. Elle s'est peut-être dit : « Tiens il a l'air sympa ce chauffeur. Un peu vieux, mais plutôt beau gosse »…

**10.05**  42$^{nd}$ St & 6$^{th}$ Av
La fille du passage piétons. Elle me donne son adresse, reste muette pendant tout le trajet, paie avec sa carte de crédit et sort sans un mot. Le charme de l'homme invisible.
*13,55 $*

Je décide de me diriger vers le bas de la ville pour boire un smoothie *organic* chez Juice Press sur Greenwich Avenue. On ne se refait pas. Je descends trente *blocks*. Pas le moindre bras levé. Au moment où je m'apprête à me garer devant mon bar à jus, un couple de Japonais avec une grosse valise me fait signe. Je viens de passer presque une heure sans client, impossible de refuser.

**10.50**  44$^{th}$ St & 6$^{th}$ Av
Les Japonais. La trentaine. Ils parlent entre eux. Se marrent comme des baleines. Au bout d'un moment, je me tourne vers eux et leur demande s'ils habitent New York ou s'ils sont en visite du Japon. La fille me lance un regard glacial : « On vit ici. » Puis plus rien. Plus de rires, plus de discussions. Silence pesant. Je jette un regard dans le rétroviseur. Coréens, Chinois, Vietnamiens, Cambodgiens, Thaïlandais, Taïwanais

ou simplement Américains ? Quel con. Évidemment pas de pourboire à l'arrivée.
*17 $*

**11.15**  Macy's (34th St & Broadway)
Une mère hollandaise et ses deux enfants. Très désagréables tous les trois.
*21,95 $*

**11.35**  Fourrière (38th St & 12th Av)
Black. 55 ans. Originaire de Guinée. Elle veut que je la conduise à la fourrière. Je lui raconte ma mésaventure du deuxième jour. Ça la fait beaucoup rire.
*10 $*

**11.45**  32nd St & 3rd Av
Slovaque de 40 ans, très sympathique, vivant à New York depuis treize ans. On parle de l'énergie incroyable de cette ville. Je lui dis à quel point j'ai trouvé les gens déprimés lors de mon dernier voyage à Paris. Elle me dit que c'est encore bien pire en Slovaquie. On en rit. Je lui raconte que je suis scénariste et chauffeur à mi-temps. J'ajoute (pour la première fois) : « Je finirais peut-être par écrire l'histoire d'un *taxi driver*. » Elle adore l'idée et me donne un bon pourboire.
*20 $*

Asie, Hollande, Guinée, Slovaquie. On passe la majeure partie de notre vie à fréquenter des gens qu'on connaît. Là, en quatre courses, j'ai fait le tour du monde.

12 h 30 : Pause déjeuner chez Speedy Romeo. Seul devant ma pizza, certainement la meilleure de New

York, je pense au film que je suis sur le point d'écrire. Je me rends compte que je n'ai pas été aussi enthousiasmé par un projet depuis longtemps. Je retrouve l'excitation de mes débuts. L'époque où tout me semblait possible, où je ne doutais de rien et où j'avais une énergie folle. J'ai souvent fait des films avec de tout petits budgets. Souvent par contrainte, parfois par choix. Des durées de tournage très courtes, toujours la même équipe de fidèles et des acteurs choisis pour autre chose que leur notoriété. J'ai connu quelques succès, beaucoup d'échecs. Mais ces films sont là et je n'en regrette aucun. Je me suis battu pendant plus de vingt-cinq ans pour conserver ma liberté. J'en ai souvent payé le prix fort. Le dernier en date, *Tu seras un homme*, a été tourné en trois semaines avec mon fils dans le rôle principal. Il m'a fallu deux ans pour le terminer, obligé d'alterner avec des projets alimentaires. Le film est sorti en catimini dans quelques salles françaises et n'a intéressé aucun festival en Europe. J'ai ressenti à ce moment-là une grande lassitude. Je me suis rendu compte que je n'avais plus 26 ans, âge auquel j'ai réalisé mon premier long-métrage, et me suis sincèrement interrogé sur mes qualités de cinéaste. Si mon cinéma n'intéresse personne, pourquoi continuer ? C'est à ce moment-là que j'ai découvert le site américain Withoutabox qui permet de s'inscrire dans différents festivals indépendants à travers les États-Unis moyennant quelques dizaines de dollars. Ça ressemblait à une arnaque mais je n'avais rien à perdre. Je ne pouvais me résoudre à laisser trois ans de travail partir en fumée. J'en ai choisi quatre pour commencer. Ne sachant rien de ces festivals, j'ai privilégié des villes mythiques comme Fargo ou Tucson. Trois sur les quatre ont sélectionné le film et nous avons gagné des prix dans chacun d'eux, dont celui du meilleur film accompagné de 500 $ au Black Hill Film Festival dans le Dakota du Sud au pied du Mont Rushmore. J'ai décidé d'utiliser cet argent pour me payer une quinzaine d'autres inscriptions. Un an plus tard, nous avions été sélectionnés dans plus de 60 festivals et avions gagné 34 prix. J'ai eu l'occasion de présenter mon film en Arizona, Alaska, Californie, dans le Dakota, l'Utah, le New Jersey, devant des salles enthousiastes. J'ai rencontré des producteurs. J'ai trouvé une manager à Los Angeles. Alors je me suis dit que, oui, ça valait vraiment le coup de continuer. Ou plutôt de recommencer, ici, en Amérique. De vivre mon rêve américain.

13 heures : *Back to work* !
Une heure à vide pour digérer.
Il y a tellement de taxis libres que les chauffeurs, d'ordinaire plutôt civilisés, craquent. Un type me fait une queue de poisson hallucinante pour me piquer un client. Je laisse pisser, comme on m'a appris à l'école.

14.00  56th St & Lexington Av
Danois très sympathique. On discute expatriation. Il est à New York depuis deux ans et demi mais va devoir rentrer en Europe, son visa n'étant bientôt plus valable. Il est dégoûté. Il aurait vraiment voulu rester ici. Il a même pensé se marier

avec une Américaine mais ils se sont finalement séparés.

*24,35 $*

La question du visa est omniprésente dans cette ville. Pas une discussion entre expatriés sans que le sujet soit abordé. Nous avons eu beaucoup de chance d'obtenir une *Green Card* du premier coup. Cela n'arrive quasiment jamais. La carte verte est valable pour toute la famille et autorise à exercer n'importe quel métier pendant dix ans. Quand l'avocate a vu notre dossier, avec tous les prix obtenus par notre dernier film, elle nous a conseillé de tenter le coup. J'avais dans un premier temps pensé à un visa de trois ans me permettant seulement de travailler en tant que réalisateur. Très restrictif. Lorsque notre dossier a été accepté, en mai 2014, nous avons ouvert le champagne et organisé notre départ pour l'été suivant. Nous avons inscrit les enfants à l'école, trouvé une maison et fait partir nos cartons. Nous nous sommes installés à Brooklyn, les enfants ont fait leur rentrée, mais nous n'avions toujours pas de date pour le dernier rendez-vous à l'ambassade. Mi-octobre, quand notre visa de touristes est arrivé à expiration, nous avons dû rentrer en France. Nous nous sommes donc retrouvés à Paris sans savoir pour quelle durée, les autorités américaines nous indiquant seulement qu'il y avait de plus en plus de demandes et que toutes les procédures étaient retardées. Les enfants ont suivi leurs cours par correspondance et notre déménagement a été bloqué au Havre. Nous n'avions aucune idée de combien de temps cette situation allait durer. Notre audition a finalement eu lieu le 15 décembre 2014. Nous avons récupéré notre carte verte et sauté dans le premier avion pour New York.

**15.00** Fourrière
Homme d'origine indienne, la quarantaine. Il me raconte que c'est la troisième fois depuis le début de l'année (deux semaines !) qu'il se fait enlever sa voiture. Il a maintenant une application sur son téléphone qui lui permet de la repérer à tout moment.
*9,95 $*

**15.10** 54th St & 6th Av
Deux hommes d'affaires allemands. Le plus jeune vient d'arriver de Berlin et découvre New York. Il est surexcité. Je les dépose au *Warwick Hotel*.
*11,80 $*

Le *doorman* du Warwick me propose au choix : JFK Airport ou Newark Airport. Je choisis JFK qui me rapproche du garage. J'ai une heure et demie devant moi.

**15.30** JFK Airport
Couple d'Irlandais, la cinquantaine, joyeux. Je leur propose de suivre les suggestions de WAZE pour arriver au plus vite à destination. Le mari me rétorque : « C'est vous le patron ! »
*63 $*

Après une heure dix d'embouteillages cauchemardesques, on finit par arriver à l'aéroport à 16 h 40. Je tape l'adresse du garage sur mon GPS. Le verdict tombe : cinquante minutes de route. J'appelle le manager qui me dit de faire au mieux. Je vais certainement devoir payer les 120 $ du *shift* suivant. Quelle tuile !

Pour éviter les autoroutes congestionnées, le GPS me fait traverser une partie inconnue du Queens. Ça ressemble à n'importe quelle banlieue de grande ville américaine. Plus du tout le New York des guides touristiques.

J'arrive à 17 h 40 au garage. Le dispatcheur me dit que pour cette fois ils ne me factureront pas le retard mais que la prochaine fois ce sera 25 $ par heure de dépassement (et non 120 $ comme je l'imaginais).

Bilan de la journée : 19 courses
*292,95 $ – 142,72 $* (Location taxi)
*= + 150,23 $.*

Bingo !

*Lundi 18 janvier 2016*

Vers 3 heures du matin, un type me demande de l'accompagner dans un club de strip-tease du Queens. On discute un moment, de tout et de rien, puis le passager me propose de venir avec lui. Il me dit qu'il connaît bien le patron, qu'il me paiera des coups. Je le remercie mais je n'ai pas fini ma nuit. Le mec insiste, lourdement, presque agressif. Du coup, je fais semblant d'accepter, et me dis que j'improviserai à l'arrivée. L'ambiance se détend. Le gars sort alors un sachet de coke de sa poche et m'en propose. Ça lui ferait plaisir de partager avec moi, dit-il. Je suis désolé mais je ne peux pas accepter, les *cab drivers* sont soumis à des *drug tests* régulièrement et je ne veux pas prendre le risque de perdre ma licence. Le type, contrarié, se fait un rail à l'arrière et attrape son téléphone. Il débute une conversation à voix basse dont je capte quelques bribes : « J'ai quelqu'un », « Tenez-vous prêts », « J'en ai trouvé un », « On sera là dans quinze minutes ». Je me mets à flipper. Je me demande si ce n'est pas un piège, si je ne risque pas de me faire agresser à l'arrivée, s'ils ne vont pas me droguer, me violer ou peut-être même me piquer un rein. Une musique douce envahit l'habitacle. C'est *Aurore à Pékin* de Marc Ribot. La musique de mon réveil. J'ouvre les yeux, en nage. Je me lève dans la nuit et me réfugie sous une douche chaude.

Départ du garage : 7 h 10

**7.30**   74th St & 1st Av
Femme à doudoune violette. 50 ans. Muette.
*7 $*

**7.45**   Time Square
Mon premier Français ! Type d'une quarantaine d'années seul pour quelques jours à New York. Je le prends au coin de Central Park. Réveillé tôt à cause du décalage horaire, il vient de faire une longue balade dans la neige. Il ne sait pas très bien où aller. Il me demande de le déposer devant n'importe quel grand magasin, Macy's, Barneys, Bergdof Goodman, au choix. Je lui explique qu'ils n'ouvrent leurs portes qu'à 11 heures. Il opte alors pour Time Square. Il veut savoir comment je suis devenu chauffeur de taxi. Ça l'intrigue. Je lui explique que je suis scénariste, que je galère et que je fais donc ce nouveau métier pour arrondir mes

fins de mois. C'est incroyable comme ça fait *loser* tout à coup. À New York, ça semble complètement normal pour un artiste de faire un autre métier en attendant des jours meilleurs. En France, non.

Je décide de dire la vérité aux prochains Français : je suis réalisateur et je prépare un film sur une actrice qui devient chauffeuse de taxi. Mon passager est curieux. Il veut en savoir plus. Je lui confie qu'en France j'étais dans une sorte de *no man's land*. Ni assez film populaire, ni assez film d'auteur. Après le succès de *Nos enfants chéris* en 2003, on m'a proposé plusieurs comédies grand public que j'ai toutes refusées. Je trouvais les scénarios mauvais. Puis j'ai eu du mal à financer les films que je voulais vraiment tourner, notamment un polar, considéré comme trop noir par les différents distributeurs auxquels je l'ai présenté. On me répondait à chaque fois : « Toi, ta force, c'est la comédie, c'est *Nos enfants chéris*, pas le polar. » Aux États-Unis, tu rencontres beaucoup plus facilement les gens, ils sont plus ouverts, ils s'intéressent à ce que tu proposes. Les producteurs regardent tes films, t'écoutent, et sont, de manière générale, plus curieux qu'en France. Ils ne veulent surtout pas passer à côté d'un succès éventuel.
*10 $*

**7.56**  19<sup>th</sup> St & 7<sup>th</sup> Av
Vieil Asiatique fripé. Muet.
*9,10 $*

**8.15**  Javits Convention Center (34<sup>th</sup> & 11<sup>th</sup> Av)
Anglaise de 45 ans qui se rend à un salon d'ameublement.
*10 $*

**8.25**  38<sup>th</sup> St & 6<sup>th</sup> Av
Femme. 40 ans. Chapka en fourrure. Muette. Je prends la 42<sup>e</sup> Rue pour rejoindre la 5<sup>e</sup> Avenue mais me rends compte trop tard qu'il est interdit de tourner à droite entre 8 heures et 19 heures. La passagère soupire et me dit qu'elle va continuer à pied. Il fait − 10 °. Je décide de tenter ma chance. Je tourne en espérant qu'il n'y ait ni flic, ni caméra. Ça passe.
*6,95 $*

**8.50**  59<sup>th</sup> St & Madison Av
Homme blanc, 50 ans, avec un bandeau de tennis dans les cheveux et un costard. Il me fait penser au personnage de Luke Wilson dans *La Famille Tenenbaum* de Wes Anderson. Il n'arrête pas de renifler et de se racler la gorge.
*19,10 $*

**9.25**  Javits Convention Center
Mec de Cincinnati, la quarantaine, loquace. Il se rend au même salon que l'Anglaise de tout à l'heure. Il dit que c'est énorme. Il y a plus de 35 000 participants. Il me conseille de revenir dans le coin à partir de 16 heures pour en profiter… Lui a l'intention de filer directement à la gare. Il a hâte de rentrer chez lui. « Comment vous faites pour conduire dans cette ville de fous ? ! »
*12,80 $*

**9.50**  53<sup>rd</sup> St & Lexington Av
Femme. 40 ans. Déprimée. Elle pleure en silence. Que faire ?
*11,75 $*

**10.19** 97<sup>th</sup> St & Amsterdam Av

Deux caricatures de New-Yorkaises Upper East Side surexcitées. L'une d'elles raconte en détail sa dernière cuite où elle a vomi partout, et conclut par : « *Usually, I'm not a vomitter !* » L'autre répond : « *Stop ! I'm a sympathetic vomitter !* » Elles éclatent de rire. Après les avoir déposées, je cherche dans le dictionnaire de mon iPhone le sens de *sympathetic vomitter*. Il s'agit d'une personne qui vomit dès qu'elle voit quelqu'un d'autre vomir. J'ai eu chaud.
*11 $*

**10.30** Metro North Station (125<sup>th</sup> St & Park)

Une famille. La mère, les deux enfants et le grand-père. Le vieux s'assoit à côté de moi à l'avant. On discute. Je lui apprends que je suis scénariste. Il me demande si j'écris en anglais ou en français. En français. Il me conseille d'essayer en anglais. Il trouve que les imperfections de langage peuvent donner à un texte une particularité, une originalité. J'aurais aimé continuer cet échange mais nous arrivons à destination. Une gare au milieu de Harlem dont j'ignorais l'existence.
*15,35 $*

**11.00** 106<sup>th</sup> St & Columbus Av

Jeune homme, 35 ans. Lui aussi est scénariste. Il me raconte qu'après sept ans d'attente un de ses projets de série vient d'être enfin acheté par une chaîne de télévision… Puis il me conseille d'aller voir le dernier Tarantino, *The Hateful Eight*. « C'est énorme ! » dit-il.
*8 $*

Je me rends compte que le fait de dire que je suis scénariste n'apporte pas grand-chose par rapport au sujet de mon film. Je décide dorénavant de me faire passer pour un acteur.

**11.15** 101 W 79ᵗʰ St
Vieille femme très riche et impotente, avec son aide-soignante. Elle parle d'un restaurant gastronomique dans lequel elle a dîné la veille au soir. 450 $ par personne. C'était délicieux… L'infirmière et moi échangeons un regard furtif dans le rétroviseur.
*9 $*

**12.00** Hilton Hotel (54ᵗʰ St & 6ᵗʰ Av)
Black. La cinquantaine. Très pressée. Elle sourit. « Je ne suis probablement pas la première à vous dire que je suis très en retard. » Non, en effet. Je fonce.
*10,35 $*

**12.08** Javits Convention Center
Homme d'affaires très désagréable. Muet. Heureusement.
*11,60 $*

**12.18** 34ᵗʰ St & Broadway
Devant le Javits Convention Center, un type termine sa cigarette hâtivement et s'engouffre dans mon taxi. Ça pue. Rare à New York où presque personne ne fume. Après son départ, je vaporise l'habitacle d'un désodorisant au citron qu'Éléonore m'a offert à Noël en prévision de ma nouvelle carrière.
*11,75 $*

Les rues commencent à se remplir de taxis libres, je retourne au Javits Convention Center. C'est là que ça se passe aujourd'hui.

**12.40** 31<sup>st</sup> St & 5<sup>th</sup> Av

Homme d'affaires espagnol très sympathique. Il veut que je le dépose au Hyatt Hotel où il doit récupérer des documents, et que je le ramène ensuite au Convention Center. En route il me demande de m'arrêter, il ne se sent pas bien. Il sort prendre l'air un moment puis remonte dans le taxi. Vais-je avoir droit à mon premier vomi ? Et si j'étais moi aussi un *sympathetic vomitter* qui s'ignore ?
Je me gare devant l'hôtel puis l'attends une quinzaine de minutes. Le compteur tourne. Va-t-il revenir ? Il réapparaît enfin et nous repartons en sens inverse. Il est curieux, veut savoir comment je suis devenu chauffeur de taxi. Je me jette à l'eau et lui raconte que je suis acteur. Dans quels films ? « Euh, *Nos enfants chéris* (*Nuestros adorables niños*) et *Qui m'aime me suive*. ». Il me dit qu'il va regarder sur Internet. Oups.
*35,30 $*

Je suis décidément un piètre comédien ; incapable de mentir, j'abandonne cette mauvaise idée.

**13.25** W Hotel (8 Albany St)

Homme très élégant avec un borsalino beige et une étole en fourrure sur les épaules. Muet.
*11,75 $*

**13.45** 80<sup>th</sup> St & Madison Av

Jeune femme, 25 ans, outrageusement maquillée, avec un fort accent étranger. Elle parle pendant vingt minutes au téléphone en hébreu puis met de la musique à fond sur son portable. À l'arrivée elle me laisse 25 cents de pourboire.
*25,60 $*

14 h 15 : Pause déjeuner. Petits sandwichs chez St Ambroeus. Médiocres et hors de prix. *Welcome to the Upper East Side* ! Je consulte mes mails :

18 janvier 2016 – 10 h 21
Éléonore POURRIAT à Benoit COHEN – « The cab driver's wife »

Chéri,

Petit message pour te demander de ne pas prendre la mouche quand à la fin de la journée je ne m'extasie pas si tu me racontes en long, en large et en travers ton client norvégien que tu as pris pour un Danois, et qui fume ou qui pêche son poisson lui-même... Je te soutiens à fond dans cette aventure, et je te promets que je serai là pour écrire le scénario mais disons que pour le moment tu es plus dans le truc que moi. C'est normal, tu vis ça au quotidien, onze heures par jour, et moi je suis dans mon bureau, huit heures par jour, je ne quitte pas ma chaise, j'écris une comédie romantique alors que tu traverses la ville en tous sens, et je serais bien incapable de faire ce que tu fais avec mon sens de l'orientation légendaire, mais tu es un peu comme un acteur qui s'immergerait dans le monde de son personnage, tu fais une sorte de director's studio et tu deviens, enfin tu es devenu, vraiment chauffeur de taxi, ce qui est génial pour le film mais un peu moins pour notre vie de famille – tu ne parles plus de cinéma mais de ton moteur ou de tes clients qui puent, tu es crevé, tu cherches comment soulager ton genou avec un coussin, tu t'achètes des petits accessoires pour faire tenir ton GPS et ton café à emporter... Pardon d'avoir bâillé hier.

Tout ça pour te dire que je sais que c'est une phase, chacun avance sur sa parallèle, mais on va se retrouver !

J'ai hâte.

Élé

18 janvier 2016 – 14 h 31
Benoit COHEN à Éléonore POURRIAT – « Rép : The cab driver's wife »

Élé,

Il était islandais, pas norvégien ; -)

Désolé mais c'est vrai que je suis complètement obnubilé par cette nouvelle expérience. C'est tellement intense. J'avais cru pouvoir avoir une certaine distance, comme un ethnologue qui observe une tribu indigène, mais je dois me rendre à l'évidence, j'ai plongé la tête la première.

J'ai mal au dos, au genou, j'ai peur de me paumer, je flippe quand je me retrouve coincé dans les embouteillages et je passe mon temps à éviter les chauffards et les flics. Du coup, oui, j'ai, de temps en temps, besoin de partager ce quotidien avec vous, ça m'aide à tenir le cap.

Mais ne t'inquiète pas, j'emmagasine à une vitesse folle les informations, anecdotes, dialogues et personnages, et je serai bientôt de retour au bercail.

En attendant, je vais faire de mon mieux pour laisser à la porte de notre maison ma casquette et mes clients, et surtout pour ne pas te réveiller aux aurores quand je pars en tournée.

Hâte aussi de reprendre nos discussions cinématographiques.

Je t'aime.

B.

14 h 40 : Reprise.

**14.45** 80<sup>th</sup> St & Lexington Av
Couple de vieux milliardaires impotents. Lui a deux cannes, elle un déambulateur. Je les aide à monter dans la voiture. Ils se parlent à voix basse et ont l'air amoureux. Tout à coup, alors que je traverse Park Avenue pour rejoindre Lexington Avenue, la vieille se redresse et hurle : « *Go down Park !!!* » Puis ils recommencent à roucouler.
*7 $*

Juste après avoir redémarré, plusieurs taxis me klaxonnent et me font signe que quelque chose ne va pas avec mes feux arrière. Je pense avoir oublié mes warnings. Ils sont pourtant bien éteints. Je me gare et sors. Je me rends compte qu'un clignotant orange placé juste à gauche de ma plaque d'immatriculation fonctionne en continu. J'arrête un taxi et lui demande de quoi il s'agit. Il m'explique que c'est un signal donné aux autres chauffeurs lorsque l'on est en difficulté ou en danger. Il me montre comment l'éteindre. Je repars, heureux d'avoir découvert un nouveau détail technique qui pourra me servir dans les péripéties du scénario. Mon personnage s'en servira au moment opportun.

**14.55**  Museum of Natural History
Deux filles, 25 ans, dont l'une ressemble étrangement à celle qui parlait hébreu tout à l'heure. J'ai du mal à distinguer son visage à travers la séparation. J'attends de voir le pourboire qu'elle va me laisser… *Good tip.* Ce n'est pas elle !
*8 $*

**15.00**  80<sup>th</sup> St & Madison Av
Père et fils de retour de l'école. J'essaie d'éviter les bouchons en faisant un détour. Le type me dit froidement : « *Don't start zigzagging.* » En gros, « Ne me prends pas pour un con. » Je retourne dans les embouteillages.
*25,60 $*

Basta !

Bilan de la journée : 22 courses
*267 $ – 127,52 $ (Location taxi) = + 139,48 $*

Je sens que j'ai pris mon rythme de croisière. Je suis happé par ce quotidien épuisant mais riche. La ville et ses habitants se dessinent peu à peu, client après client, petite touche par petite touche. J'explore mon décor, je rencontre mes personnages secondaires, j'affine le choix des costumes et engrange les dialogues sur mon enregistreur invisible.

*Mercredi 20 janvier 2016*

Insomnie. Je me glisse hors du lit à 5 h 30.
Il a neigé cette nuit sur Brooklyn. J'enfile mes bottes fourrées. Moins pratique pour conduire mais indispensable pour atteindre le métro.

Départ du garage : 6 h 50

**7.15**    43rd St & 6th Av
Homme blanc. 45 ans. Muet.
*9,95 $*

**7.25**    50th St & Park Av
Homme asiatique. 40 ans. Muet.
*8,75 $*

**7.40**    75th St & York Av
Homme métis. 35 ans. Muet.
*11,33 $*

Les passagers du matin parlent peu. Ils ne sont pas bien réveillés, n'ont pas bu leur café, profitent d'un dernier moment de calme avant leur journée de boulot... Je m'y suis fait.

**8.10**    82nd St & Madison Av
Père, 50 ans avec fort accent russe, accompagne sa fille de 8 ans à l'école. Elle récite ses leçons dans un anglais parfait.
*11,85 $*

**8.25**    43rd St & 2nd Av
Femme de 45 ans. Elle sort du lycée français où elle vient de déposer son fils. Quand elle voit mon nom sur la licence, elle se met à me parler en français. Elle a besoin de pratiquer. Nous pratiquons. Elle est ravie. Elle me demande pourquoi j'ai décidé de m'installer aux États-Unis. Je lui parle du succès de *Tu seras un homme* et lui conseille de le regarder sur Netflix. Je lui raconte l'histoire du film et lui explique que c'est mon fils qui joue le rôle principal. « Il est ici avec vous ?

— Oui, nous sommes venus en famille.

— Il est dans une école française ?

— Non, américaine.

— Il est heureux ?

— Ravi, même s'il ne comprend pas grand-chose pour le moment.

— C'est probablement pour ça qu'il est aussi heureux. »

*17 $*

**8.45** 27th St & Madison Av
Vieux type, muet, qui sent le cigare.
*9,75 $*

Petit coup de vaporisateur au citron.

**8.55** 920 Broadway
Femme d'une trentaine d'années avec une gamine qui n'arrête pas de chouiner. La mère est complètement dépassée. La petite commence à donner des coups dans mon siège. Je me retourne et lui dis doucement : « *Please stop.* » Elle s'immobilise, regarde sa mère puis recommence de plus belle. La mère : « Il paraît que les enfants français sont mieux élevés que les enfants américains. Vous avez un secret ? » J'ai envie de répondre « On les bat ! » Pas sûr que mon humour passe la barrière culturelle.
*9,80 $*

**9.15** Maritime Hotel (16th St & 9th Av)
Le *doorman* du Gansevoort Hotel me fait signe. À ses côtés, un type avec trois grosses valises. Ça sent l'aéroport. Je viens de faire une série de petites courses dans les embouteillages du matin et prendrais bien le large. Une fois le coffre

chargé, le passager m'annonce sa destination :
Maritime Hotel. À cent mètres !

*7 $*

**10.10**   238 Thompson

Femme noire de 45 ans, de mauvaise humeur.
Elle m'annonce : « *I go 238 Thompson Street.* » Je
comprends « *I go to 38 Thompson Street.* »
Lorsque nous arrivons à destination, elle me
donne 8 $ en cash alors que le compteur indique
8,30 $ et sort. Le temps que je note la course
dans mon carnet, elle revient furax et me dit que
je me suis trompé. Je m'excuse et propose de
l'accompagner gratuitement à la bonne adresse,
quelques *blocks* plus loin. Elle remonte dans le
taxi en silence. Lorsque j'arrive devant le 238,
deux minutes plus tard, je m'excuse à nouveau.
Elle disparaît sans un mot.

*8 $*

**10.30**   555 W 59th St

Fille d'une trentaine d'années qui a l'air pressé.
Étant donné l'état de la circulation, je rentre son
adresse dans WAZE pour essayer de trouver le
chemin le plus rapide. Après vingt minutes au
ralenti sur le West Side Highway, elle n'a toujours
pas prononcé le moindre mot. Je me lance. Je lui
dis que je suis réalisateur, que j'écris un film sur
une chauffeuse de taxi et lui demande si elle n'a
pas une *Cab Story* à me raconter. La réponse est
cinglante : « *No.* » À partir de ce moment-là, elle
devient odieuse, ne supporte pas qu'on soit bloqués dans les embouteillages, me reproche mon
itinéraire. Je reste calme et lui explique que je suis

les conseils du GPS mais que je me ferai un plaisir d'écouter ses suggestions.

Raconter que je suis réalisateur est une option à double tranchant. Si certains passagers sont amusés, et en redemandent, d'autres se mettent instantanément à douter de mes compétences de chauffeur.

*26,75 $*

Je passe devant le lycée de mes enfants. Soudain, ma réalité me rattrape : et si un de leurs profs s'engouffrait dans mon taxi ? Je ris tout seul en repensant à la réaction de ma fille le jour où je lui ai annoncé ma nouvelle vocation. Si elle me voyait en train de zoner autour de son école, elle ne comprendrait probablement pas. Moi j'aime cette superposition des réels, celui de notre vie familiale, celui de mes films. J'ai toujours travaillé comme ça finalement.

Quelques mètres plus loin, une dame lève le bras.

**11.05** 168th St & Broadway

Un vieux couple. Lui a dû avoir une attaque cérébrale car toute la partie droite de son visage est paralysée et il a beaucoup de mal à parler. Ils veulent aller au New York Presbyterian Hospital à Harlem. Un précédent chauffeur, perdu, les a abandonnés sur le trottoir.

*31 $*

**11.30** 14th St & 2nd Av

Black. 40 ans. Pas bavard. Il écoute de la musique dans son casque. On redescend en bas de la ville en traversant Harlem. Beaucoup de promoteurs

immobiliers essaient de faire croire que c'est le nouvel eldorado new-yorkais, à l'instar de Brooklyn. Pourtant les rues que nous traversons ne sont pas très accueillantes. Ça viendra sûrement. La *gentrification* est en marche.
*34,15 $*

12.15 : Je suis à un *block* d'un de mes restaurants préférés de New York, Momofuku Noodle Bar. C'est le moment de faire une pause. *Chilled Spicy Noodles* au comptoir. Fantastique !
12.55 : Reprise.

**13.15** Canal St & Greene St
Deux types. La trentaine. Ils parlent d'une expo qu'ils sont en train de préparer. J'hésite sur le chemin à emprunter. Ils me guident. Sympas. Je passerais bien le reste de l'après-midi avec eux...
*6 $*

J'enchaîne.

**13.20** Canal St & Hudson St
Homme. 45 ans. Il porte une robe, un sac à main, un manteau de fourrure et une barbe. New York, quoi.
*6,35 $*

**13.27** 110 Bleecker St
Père et son fils de 8 ans. Ils parlent entre eux. Je n'existe pas. En sortant le gamin me lance : « *Bye Taxi.* »
*7 $*

La chauffeuse de taxi, personnage principal de mon film, deviendra comme moi : une fonction sociale, rien de plus, un moyen pour les autres de se déplacer dans la ville. Pas de prénom, pas d'histoire, ni passé, ni futur. Elle apparaît, anonyme, l'espace d'une course. Ce film pourrait montrer, sous forme presque documentaire, cet effacement. Une actrice, que son métier a habituée à être au centre de l'attention, se voit disparaître pour révéler les autres, les New-Yorkais, tous ces inconnus qui lui volent la vedette. Ce sont eux qui parlent, se racontent, se dévoilent, vont d'un point A à un point B, de chez eux à leur travail, de l'hôpital à chez leur père, comme autant de fictions naissantes.

**13.40** W 12th St & Greenwich St
Homme très vieux qui s'endort en cours de route. À l'arrivée, j'hésite. Je pourrais le laisser se reposer et m'offrir moi aussi une sieste. Je fais les comptes. Combien ai-je gagné depuis le début de la journée ? À peine de quoi rembourser la location du taxi et l'essence… Je tousse. Le vieux se réveille doucement et s'excuse.
*7,85 $*

**13.50** 14th St & 10th Av
Homme. Blanc. Chauve. 55 ans. Je m'engage comme un con sur la 14e Rue pour rejoindre la 6e Avenue alors qu'il est interdit de tourner à gauche. J'entends le passager qui soupire dans mon dos. Je tente ma chance. Une voiture de flics, un *block* plus loin. Frayeur. Heureusement ils ne m'ont pas vu.
*10,30 $*

**14.05** 16th St & Broadway
Grande femme. Blonde. 45 ans. Muette.
*7,55 $*

**14.15**  Morton St & 7<sup>th</sup> Av

Femme de 60 ans. Elle m'annonce d'une voix très douce : « *Morton and 7* ». Jamais entendu parler de Morton Street. Elle propose gentiment de m'aider. Elle se souvient de l'époque où les GPS n'existaient pas. Elle aimait guider les taxis dans la ville.

*9,95 $*

14 h 44 : Ras le bol. Très envie de pisser. 6<sup>e</sup> Avenue bouchée. 8<sup>e</sup> Avenue bouchée. Je prends la tangente. M'engage dans la 18<sup>e</sup> Rue. Cinq taxis libres devant moi. Et puis merde ! J'imprime le bilan de la journée (240 $). Je décide de rentrer au garage. Sans me mettre « *Off Duty* ». On ne sait jamais. Avec un peu de chance je chargerais quelqu'un Uptown avant de prendre le Queensboro Bridge pour rentrer.

Alors que je m'apprête à m'engager sur le pont, quelqu'un me fait signe.

**14.55**  E Houston St & Avenue A

Femme. 55 ans. Je repars en sens inverse. Direction Downtown. La tuile. Elle passe le trajet au téléphone à insulter son assistante. Je comprends qu'elle est conservatrice au Metropolitan Museum. Je pense à ma fille qui veut travailler dans les musées. J'espère qu'elle ne tombera jamais sur elle.

*9,80 $*

**15.27**  33<sup>rd</sup> St & Madison Av

Homme brun. Je remonte.

*9,75 $*

**15.40** 900 Broadway

Femme blonde. Je redescends.

*9,80 $*

Ça y est, c'est le *rush hour.* Les gens se battent pour avoir un taxi.

Me vient une idée pour le film : il pleut. En pleine course, alors que mon héroïne est arrêtée à un feu, un type ouvre la porte arrière et explique, avec un fort accent français, au passager que sa femme est en train d'accoucher, qu'elle l'attend, que cela fait vingt minutes qu'il cherche un taxi et qu'il est désespéré. Il lui demande s'il serait d'accord pour lui céder sa place. Il paiera ce qui est au compteur bien sûr. Le passager hésite puis accepte. Une fois que le taxi redémarre, le type à l'intérieur explose de rire. Il raconte qu'il fait ça à chaque fois qu'il ne trouve pas de taxi. Parfois il dit que sa mère est en train de mourir ou que son fils bloqué à la porte de chez eux vient de l'appeler en larmes. Ça marche à tous les coups… Elle le fout dehors.

Cet incident l'a fait réfléchir. Elle se retrouve face à ses propres contradictions, elle qui passe son temps à raconter des bobards à ses passagers. À partir de ce moment-là, elle choisit de dire la vérité et d'affronter sa réalité, un passé trop lourd qu'elle a jusqu'à présent choisi de mettre de côté.

**15.55** 48^th St & 8^th Av

Homme d'origine indienne, 50 ans, en visite d'affaires à New York. Je l'accompagne à son hôtel. Il me demande si je peux l'attendre et le

conduire sur la 66ᵉ Rue au siège social de Google. J'accepte. Il me reste une petite heure pour rentrer dans le Queens. C'est jouable. On repart. Alors il se rend compte qu'il s'est trompé : Google n'est pas sur la 66ᵉ mais la 16ᵉ. Ça se corse. J'accélère, slalome entre les voitures et le dépose dix minutes plus tard. Il est 16 h 25. J'entre l'adresse du garage dans mon GPS. Il m'annonce une arrivée à 16 h 55. Pile poil. Cela m'oblige à prendre le Midtown Tunnel. Ça me coûtera 5 $ de péage mais c'est toujours mieux que de payer les 25 $ de pénalité de retard. Malheureusement, en sortant du tunnel, je rate la sortie Jackson Avenue et me retrouve bloqué dans un gigantesque embouteillage !
*25 $*

J'arrive finalement à 17 h 38 au garage. La totale : Péage + Pénalité !

C'est un énorme bordel dans le bureau du dispatcheur. Une dizaine de chauffeurs rendent leur voiture en même temps. Je dois attendre encore une demi-heure avant d'avoir mon argent.

Je m'engouffre dans le métro à 18 h 10, éreinté.

Bilan de la journée : 23 courses
*294,68 $ – 162,01 $* (Location taxi + taxes + péage + pénalité) = *+132,67 $*

*Jeudi 21 janvier 2016*

Plus envie de conduire que d'écrire aujourd'hui. Je décide donc d'enchaîner une seconde journée consécutive au volant. C'est un des gros avantages de ce métier, on travaille quand on veut. Une des raisons pour lesquelles mon héroïne choisit de devenir chauffeuse de taxi et non serveuse ou vendeuse. Elle sait que si elle doit se rendre à un casting ou sur un tournage, elle pourra se libérer sans problème.

Départ du garage : 7 h 12

**7.35** 91$^{st}$ St & Columbus Av puis 52$^{nd}$ St & 6$^{th}$ Av
Mère et son fils de 10 ans. Elle lui fait réciter sa leçon sur les capitales du monde. On dépose l'enfant et elle me demande de l'accompagner à son bureau. Coincés dans les embouteillages du matin, nous nous mettons à parler de nos racines. Elle me raconte qu'elle est d'origine iranienne et que son mari est palestinien. Elle est née en Amérique et n'a jamais pu aller voir ses grands-parents en Iran. Dernièrement les relations diplomatiques entre les deux pays se sont améliorées mais c'est trop tard, ils sont morts tous les deux.
*25 $*

**8.20** 460 W 34$^{th}$ St
Femme emmitouflée. Muette.
*9 $*

**8.35** 42$^{nd}$ St & Vanderbilt Av
Femme coiffée d'une chapka en fourrure. Muette.
*10,55 $*

**8.44** 225 Liberty St
Femme métisse. 50 ans. Très directive. Elle veut absolument prendre son chemin habituel. Je lui dis que le GPS indique qu'il y a de gros embouteillages sur le FDR. Elle insiste. Nous nous

retrouvons donc une dizaine de minutes plus tard au pas sur la voie express qui longe l'East River. Silence pesant. Je lui demande si elle veut que je mette de la musique. Si elle aime le jazz. Pas de réponse. Je me retourne. Elle a les yeux fermés et des écouteurs sur les oreilles. Le compteur tourne. Ça me va.

*29,75 $*

Un vieux *homeless* édenté déguisé en Père Noël passe devant ma voiture en dansant. Image à garder pour le film.

Je repense à ce jour de décembre où nous avions décidé d'aller nous balader dans les rues de Manhattan avec Éléonore. La plupart des gens que nous avions croisés portaient des bonnets de Père Noël. Nous nous étions réjouis de constater, une fois de plus, que les New-Yorkais étaient de grands enfants. Combien de parades en slip, de batailles de polochons en pleine rue, de concours du plus gros mangeur de hot-dogs depuis notre arrivée ?

En rentrant à la maison, nous étions tombés sur notre voisin qui nous avait invités chez lui à un pot de Noël. Il nous avait appris ce qu'était en réalité cette journée du 12 décembre : le SANTACON (qui pourrait se traduire par : le Congrès des Pères Noël). Un samedi entier à se bourrer la gueule dans les bars de la ville, chapeau rouge et blanc à pompon sur la tête. « Un cauchemar ! » avait-il conclu.

Un peu plus tard dans la soirée, alors que nous sortions de l'Angelika Film Center où nous étions allés voir *Youth* de Paolo Sorrentino, nous avions pris un taxi pour rejoindre Brooklyn. Le chauffeur, un

Africain, parlait en français au téléphone. Embouteillage énorme. Tout à coup, une voiture avait percuté l'arrière de notre taxi. Le choc n'avait pas été fort mais le chauffeur était quand même descendu pour s'assurer qu'il n'y avait pas de dégâts. À peine avait-il posé le pied par terre que le conducteur du 4 × 4 qui lui était rentré dedans s'était mis à l'insulter. Il lui reprochait d'avoir freiné brusquement alors que nous étions à l'arrêt. Le type était hyperagressif et terriblement raciste. Nous étions sortis du taxi. Je m'étais avancé vers le chauffeur pour lui demander s'il avait besoin d'un témoin. Le conducteur du SUV était alors devenu fou, m'insultant allègrement. Je lui avais demandé de se calmer, il était en tort et, oui, j'étais prêt à témoigner. Il s'était éjecté de sa voiture, furieux. Il était petit, trapu et s'était avancé vers moi, menaçant. Je l'avais repoussé doucement. Il avait hurlé : « Ne me touche pas ! » N'ayant pas l'intention de me battre, je lui avais dit que j'allais appeler la police s'il continuait, ce qui avait eu pour effet de l'énerver encore plus. J'avais donc pris mes distances et composé le 911. Pendant ce temps, le type vociférait en direction d'Éléonore que j'étais un pédé, que je n'avais pas de couilles, etc. L'opératrice m'avait immédiatement répondu et avait pris ma déposition. Elle allait envoyer une voiture dès que possible. J'avais ensuite laissé mon numéro au chauffeur du taxi, sous les insultes du mec. Nous nous étions éloignés pour essayer de trouver un autre *cab*. Nous avions traversé Houston Avenue, un peu secoués. Aucun taxi n'étant libre, j'avais commandé un Uber. Alors que l'application annonçait une voiture à deux minutes, le 4 × 4 du petit nerveux avait traversé l'avenue en trombe et était venu se garer devant nous. Le type en était sorti comme une bombe et avait foncé droit sur moi, les mains dans les poches. « Tu vas le regretter. Tu as fait l'erreur de ta vie. » Je me suis rendu compte qu'il puait l'alcool. Je m'étais mis à flipper. Beaucoup d'Américains sont armés. J'avais essayé de le calmer tout en gardant un œil anxieux sur les poches de son blouson. Il disait que visiblement je n'étais pas de New York, que je ne connaissais pas les codes de la ville, qu'à cause de moi sa fille de huit ans, qui l'attendait à la maison, allait se retrouver seule, et qu'il allait m'attaquer en justice… Notre Uber était arrivé. On s'était échappé.

À l'abri, dans la nouvelle voiture, encore tremblants, nous avions vite repris nos réflexes de scénaristes, imaginant la descente aux enfers de ce type, condamné pour conduite en état d'ivresse, perdant son boulot, devenu célibataire et n'ayant plus qu'une obsession, me retrouver et se venger. Nous avions même songé au film que j'aurais pu faire de cette histoire. Lors de sa sortie en salle, mon nom et ma photo auraient été publiés dans les journaux. Et je me serais rapidement retrouvé avec le dingue à mes trousses…

**9.15**   24th St & Madison Av
Homme. Noir aux yeux bleu turquoise. 40 ans.
Muet.
*20,16 $*

9 h 40 : Pause au Starbucks d'Union Square. Cette célèbre chaîne de cafés qui sert du jus de chaussette

et des pâtisseries insipides est une bénédiction pour les chauffeurs de taxi. C'est un des seuls endroits de la ville où on peut aller aux toilettes sans avoir de comptes à rendre à personne. Mais avant d'utiliser les W-C, il faut se garer, ce qui à New York peut prendre plus d'une demi-heure. Du coup, certains *drivers* trouvent des astuces. En tant que passager, j'ai une fois assisté à une scène surréaliste où un chauffeur, arrêté à un feu, avait sorti une bouteille en plastique et s'était mis à pisser dedans.

Je consulte mon portable. Un vieil ami d'enfance, qui a dû me voir sur Facebook au volant de mon *yellow cab*, m'a envoyé un mail :

21 janvier 2016 – 9 h 28
M.A. à Benoit COHEN – « Soucis ? »

Mon pote,

Je m'inquiète un peu de te savoir taxi, sauf à ce que cela soit une aventure préalable à ton prochain tournage. Si ce n'est pas le cas mais un passage obligé dans une période délicate, c'est le métier que j'ai toujours eu en tête de pouvoir faire si je n'avais plus d'autre choix.

Au-delà de ça, dis-moi si je peux t'aider par le biais d'une amie qui travaille chez Warner France, ou via ma femme qui comme tu le sais est le bras droit de V. B.

N'hésitez pas une seule seconde. Je vous dois tant à toi et ta famille.

Je t'embrasse.

M.

Mon héroïne sera-t-elle, elle aussi, démasquée ? Retrouvée par hasard par quelqu'un de son ancienne vie ? Argue-t-elle d'un prétexte artistique comme moi ? Ou est-elle également en planque pour préparer un film ? Quel film ?

**10.40** West St & Murray St
Femme obèse, en retard.
*9,45 $*

Tellement de taxis libres autour de moi que j'imagine tout à coup proposer aux gens des courses à moitié prix. Idée brillante pour perdre sa licence. Je m'emmerde. J'ai faim.
11 h 15 : Je m'arrête sur Broome Street pour prendre un *Banh mi* au porc laqué chez Saigon Vietnamese Sandwich. Excellent !
11 h 35 : *Back to work.*

**11.45** W 12ᵗʰ St & Washington St
Française, la cinquantaine. Extrêmement sympathique. « En trente ans de vie new-yorkaise, vous êtes mon premier chauffeur français ! » Elle me raconte sa vie. Je lui raconte la mienne. Elle adore l'idée du *Director's Studio*. Son fils aussi est réalisateur. Elle me laisse un énorme pourboire. (115 % ! Record battu !!)
*20 $*

**12.05** 55ᵗʰ St & 5ᵗʰ Av
Homme très mince et très grand. Au moins deux mètres. Il a du mal à rentrer dans le taxi. Il m'annonce son adresse puis passe un coup de téléphone. « C'est un psoriasis gesticolor. J'ai toujours eu une peau très sensible. Dès qu'une merde passe

je l'attrape… Tu m'écoutes ? Ça se manifeste autour de l'anus et dans les plis sous les couilles principalement… Tu veux qu'on dîne ensemble ce soir ? »
*19,56 $*

**12.35**  Chambers St & West Broadway
Type en costard de 35 ans que je prends sur Park Avenue. Je vois tout de suite à son accent qu'il est français. Il me dit qu'il vient de s'installer à Manhattan. Sa petite amie est new-yorkaise mais il espère bientôt la convaincre de venir vivre en France avec lui. Il déteste les Américains. Il déballe une succession de clichés, leur côté bourrin, leur racisme, leur inculture, leur manque de goût culinaire, leur patriotisme débile… J'essaie de lui expliquer que la réalité est beaucoup plus complexe et que globalement les gens qu'on rencontre à New York n'ont rien à voir avec ce qu'il vient de décrire. J'aurais pu lui parler de l'incroyable énergie de cette ville, de la gentillesse des gens, de leur civisme, de leur amour pour leur pays qui n'est pas réservé qu'aux nationalistes, de leur ouverture d'esprit, du bouillonnement culturel permanent, des restaurants merveilleux, du ciel toujours bleu… mais je sens que c'est peine perdue.
*25 $*

**13.35**  10th St & 5th Av
Fine blonde. 30 ans. Muette.
*7,55 $*

Immobilisé à un feu, je vois un livreur en vélo qui s'arrête à côté d'une voiture et frappe à la porte du conducteur. Ce dernier ouvre sa vitre et échange un carton de pizza contre quelques billets. Séquence insolite à conserver pour le film.

**13.45** 20<sup>th</sup> St & West Side Highway
Barbu avec un bonnet. 50 ans. Discussion surréaliste au téléphone avec son petit ami sur la meilleure manière de se nourrir sainement à NY. « Je t'ai acheté deux belles pommes bio à couper en rondelles sur ton *french toast* pour le petit déjeuner. » Il éclate de rire en entendant la réponse de son interlocuteur : « Quoi ? ! Un burrito à midi ? ! Je ne t'aurais jamais imaginé dans ce créneau-là ! Mais j'adore… »
*10,55 $*

**14.10** 67<sup>th</sup> St & Madison Av
Gros ours brun à la Jim Harrison. 60 ans. Muet.
*12,35 $*

**14.20** 36<sup>th</sup> St & Madison Av
Femme. 40 ans. En retard à un rendez-vous chez le médecin. Dès que je double une voiture ou passe au feu orange, elle crie comme si je la faisais jouir : « *Yes ! Good job !!!* »
*11,30 $*

**14.50** 83<sup>rd</sup> St & East End Av
Petite femme couverte de piercings. Elle me demande ce que j'aime le plus dans cette ville. Sans hésiter, je lui réponds : « La diversité. » Elle me dit qu'elle est gay et me confirme que c'est un bon endroit pour vivre une sexualité libre. Elle m'apprend que, depuis peu, n'importe qui à New York peut choisir son sexe. Il suffit d'aller à la mairie et de remplir un formulaire.
*7,80 $*

15 h 05 : Je rentre au garage.

Bilan de la journée : 15 courses
*218,02 $ – 148,59 $* (Location taxi) = + *69,43 $*

Pendant le dîner, je ne résiste pas au plaisir de raconter cette journée à ma famille : le mec avec le cul en chou-fleur, le Français chauvin, l'homo vegan, le type qui se fait livrer une pizza dans sa voiture, le mail d'un pote qui me croit à la rue et, cerise sur le gâteau, la nouvelle que, si le cœur m'en dit, je peux devenir une femme du jour au lendemain. Je fais mouche. Ça les fait beaucoup rire.

Comme quand on tourne un documentaire, certains rushes sont plus précieux que d'autres.

## Lundi 25 janvier 2016

Pendant le week-end, New York a été balayé par une impressionnante tempête. Vingt-quatre heures de blizzard. 60 cm de neige. Lorsque j'arrive au garage, la plupart des taxis sont recouverts d'une énorme couche de poudreuse. Le mien a été dégagé. Au moment où je m'apprête à ouvrir la portière, j'aperçois un chat blotti sur le siège du conducteur. Il a dû entrer par une fenêtre entrouverte. J'hésite à le garder avec moi pour la journée. Je repense au gros matou roux de *Breakfast at Tiffany's* qu'Audrey Hepburn court secourir sous la pluie diluvienne, abandonnant son taxi jaune derrière elle : « *Cat ! Cat !* »

Départ du garage : 7 h 30

Manhattan est toujours très enneigé. Les avenues principales ont été partiellement dégagées, pas les rues transversales. La circulation est chaotique. Les gens se battent pour un taxi. Uber a multiplié ses prix par 7 ! Bonne journée en perspective.

**7.55**   83$^{rd}$ St & East End Av (Exactement la même adresse que ma dernière course de la semaine dernière. Étrange.)
Jeune femme d'une vingtaine d'années, frigorifiée malgré son bonnet à pompon. Muette.
*18,60 $*

**8.25**   39$^{th}$ St & Madison Av
Mec chauve. 45 ans. Trente-cinq minutes qu'il attendait un taxi. Congelé et muet.
*28,30 $*

**9.05**   11 Madison Av
Femme d'affaires en costume avec des après-ski à poils longs. Muette.
*13,35 $*

**9.20**   1663 Broadway
Barbu sur iPhone.
*18,80 $*

**9.50**   47$^{th}$ St & Park Av
Jeune femme, la trentaine, qui part à un rendez-vous. En cours de route, elle me demande de faire demi-tour. J'imagine que son *meeting* vient d'être annulé, qu'elle va éclater en sanglots, que cela fait des mois qu'elle attendait de rencontrer ce producteur hollywoodien qui... Elle a seulement oublié un document au bureau. Je la ramène à son point de départ.
*12,80 $*

**10.10**  Penn Station (côté accès handicapés)
Deux femmes hispaniques et un enfant handicapé. *No contact.*
*16 $*

**10.40**  Bleecker St & Broadway
Une femme d'une cinquantaine d'années, avec une doudoune rose fuchsia et un visage étrange, entre dans mon taxi. Elle m'indique une adresse que je ne comprends pas. Je la lui fais répéter. Je me rends alors compte qu'elle a un grave problème de prononciation. Je devine après une troisième tentative : *Bleecker* et *Broadway.* Elle me fait savoir que normalement cette course, qu'elle fait régulièrement, lui revient à 10 $. Je lui explique qu'il y a beaucoup d'embouteillages à cause de la tempête et que ça risque de lui coûter beaucoup plus cher. Elle m'avoue qu'elle n'a que 20 $ en poche. Je la rassure, je ne l'abandonnerai pas dans la neige et la conduirai à destination, même si le compteur dépasse cette somme. Elle me demande alors si je suis juif. Je ne vois pas le rapport. « Vous êtes un Cohen », me dit-elle après avoir inspecté la licence qui est glissée derrière mon siège. Oui. Mon père était juif. « Et comment vous prononcez votre prénom ? » À l'américaine : Bénoua. Elle éclate de rire. Elle m'explique que c'est le nom d'un sex toy, sorte de boules de geisha, qu'on se met dans l'orifice de son choix. « *Ben-Wa Balls !* » Elle se met à me décrire dans le détail les effets bénéfiques de l'objet. Je suis pris d'un fou rire… Elle me demande si je suis heureux aux États-Unis. Oui. Si je ne trouve pas la vie trop chère. Si. La santé et l'éducation sont hors de prix

ici. Elle me raconte que son fils de 20 ans doit payer 54 000 $ par an pour son université. Heureusement, me dit-elle, son père est mort quand il avait 7 mois, donc il a assez d'argent, grâce à son assurance-vie, pour payer les deux premières années de scolarité. Ensuite c'est elle qui prendra le relais. Elle s'est fait renverser par une voiture il y a deux ans, est restée dans le coma pendant trois mois, et devrait bientôt toucher une grosse somme d'argent grâce au procès qu'elle a intenté au conducteur qui l'a percutée. *America* !

À l'arrivée le compteur indique 22,30 $. Elle me tend son billet de 20 $ en haussant les épaules. Je lui dis que tout le plaisir est pour moi : « *It's my treat* ! » Elle rit de bon cœur. Je la baptise en secret ma cliente préférée.

*20 $*

11 h 30 : Pause déjeuner. *Cuban Sandwich* au Café Habana de Nolita. Entre deux tranches de pain toasté, du porc grillé, du jambon, de l'emmental, un gros cornichon et un peu de moutarde. Divin.

Éléonore m'appelle en panique. Elle galère sur le scénario qu'elle est en train d'écrire pour Netflix. Elle est désespérée, elle n'y arrivera jamais, et ne sait plus par quel bout prendre son histoire. Je regarde mon volant, pensif. Je lui promets de faire mon possible pour lui donner un coup de main mais j'ai encore six heures de conduite devant moi avant de pouvoir espérer « gagner » ma journée...

12 h 15 : *Back in business.*

**12.18** 83rd St & Amsterdam Av
Type de 30 ans au look gothique. Il dessine sur un grand carnet de croquis dans mon dos. Portrait

de ma calvitie naissante ? Le bruit de ses feutres
sur le papier me berce.
*26,15 $*

**13.25**  50<sup>th</sup> St & Park Av
Deux femmes, la quarantaine, qui tchatchent
pendant tout le trajet. L'une confie à l'autre que
son mec a des envies sexuelles de plus en plus
bizarres. Il veut lui lécher les genoux pendant
qu'elle le masturbe. Je fais semblant de ne pas
écouter mais je n'en loupe pas une. Sa copine lui
raconte qu'une fois elle est tombée sur un type
qui voulait qu'elle se savonne pendant qu'il lui
urinait dessus. Elles se marrent. Je me concentre
sur la route.
*22 $*

**14.05**  Hudson St & Gansevoort St
Femme frêle de 45 ans. Mal chaussée pour la
neige. Je la dépose sur une portion de trottoir
sèche. Elle me remercie par un généreux
pourboire.
*8,05 $*

**14.20**  18<sup>th</sup> St & 6<sup>th</sup> Av
Mec. 40 ans. Impressionnant. Visage entièrement
tatoué. Muet.
*7,55 $*

**14.30**  535 W 23<sup>nd</sup> St
Grand-mère, père et enfant de retour de l'école.
Trois générations de New-Yorkais. J'aimerais les
interroger sur l'évolution de la ville pendant ces
dernières décennies mais ce n'est pas le moment
de les interrompre : ils sont en train de régler

les derniers détails de leurs prochaines vacances aux Bahamas.

*11,75 $*

Je passe devant le Maritime Hotel. Le portier me siffle, étrange sensation. Je me gare. Il me demande si une course à l'aéroport de Newark m'intéresse. Je décline. C'est à l'opposé du Queens. Il est temps de rentrer et de passer ma casquette de *script doctor*. J'ai promis un coup de main à Éléonore.

Retour au garage : 15 h 30.

Bilan de la journée : 13 courses
*203,35 $ – 136,36 $* (Location taxi) = + *66,99 $*

Il y a des jours où mon héroïne en aura marre. Marre des embouteillages. Marre des collègues. Marre des clients. Marre de se faire siffler par les *doormen*. Marre de se faire broyer par cette ville sans pitié. Je voudrais tourner une scène dans laquelle elle se réfugiera sur la plage de Rockaways, au bout de la ligne A du métro new-yorkais.

*Jeudi 28 janvier 2016*

Bertrand, vieux pote, chef opérateur de tous mes films, vient passer quelques jours à New York. J'ai prévenu le dispatcheur que je ne serais pas de retour avant le lundi suivant. Mais à peine a-t-il posé le pied à Brooklyn que Bertrand me dit qu'il veut faire un tour dans mon taxi. Je lui propose donc de passer la journée du lendemain sur le siège passager. Banco ! Ai-je le droit de faire ça ? Je n'en sais rien. Comment vont réagir les clients ? On verra bien.

Nous prenons le métro à 6 h 45, direction le Queens.

En arrivant aux abords du garage, je demande à Bertrand de m'attendre un peu plus loin sur l'avenue pendant que je vais récupérer mon véhicule.

Dans le bureau, un Africain explique dans un hallucinant mélange de français et d'anglais qu'il a envoyé son dossier pour le renouvellement de sa licence au TLC et qu'ils viennent de lui annoncer qu'ils ne l'avaient jamais reçu. Son permis expire dans trois jours. Il est dans la merde.

Départ du garage : 7 h 30

Je récupère Bertrand et nous nous engageons sur le pont qui mène à Manhattan. Le soleil se lève. Les gratte-ciels scintillent. *Welcome to New York, buddy !*

Très vite, un premier client.

**8.05**  Columbus Circle
Homme d'affaires qui jette un regard intrigué à mon passager du jour mais ne dit rien. Il n'avait probablement pas l'intention de me parler de toute façon, la présence de Bertrand ne doit pas beaucoup le gêner.
*10 $*

**8.15**  59th St & 9th Av
Mère qui accompagne son fils à l'école. Elle hésite. Je lui fais signe de monter et lui explique qu'il est mon stagiaire (« *My intern* »). Il aimerait devenir chauffeur mais veut d'abord voir à quoi ressemble la vie d'un *yellow cab* new-yorkais. Avec sa veste en cuir col fourrure et son foulard en soie noué autour du cou, *so French*, Bertrand ressemble à tout sauf à un futur *taxi driver*. On se marre.
*12,05 $*

**8.25**  70<sup>th</sup> St & York Av
Père et sa fille de 10 ans qui lui raconte que ses nouveaux camarades d'école la persécutent. Bertrand invisible.
*14,25 $*

**8.50**  86<sup>th</sup> St & Madison Av
Deux mères avec deux enfants en partance pour l'école. Je suis obligé de débarquer Bertrand au coin de la 3<sup>e</sup> Avenue. Je lui promets de revenir le chercher une fois ma course terminée.
*8,80 $*

**9.05**  79<sup>th</sup> St & 3<sup>rd</sup> Av
Fausse course pour récupérer mon « stagiaire ». Sachant que je ne vais pas gagner beaucoup d'argent aujourd'hui, je décide d'augmenter mon chiffre d'affaires fictivement en déclenchant mon compteur dès que je peux plutôt que de me mettre « *Off Duty* » lors de mes déplacements privés. Je ne veux surtout pas éveiller les soupçons des responsables du garage. Comment comprendre qu'un type travaille onze heures sans même arriver à rembourser la location de sa voiture et qu'il recommence le lendemain ?
*9,80 $*

**9.25**  43<sup>rd</sup> St & 6<sup>th</sup> Av
Homme, 45 ans, d'origine indienne. Il repère tout de suite Bertrand, hésite puis monte. Il demande s'il s'agit d'une double course. Je n'y avais même pas pensé... Non, c'est un copain qui vient de France et qui voulait passer une heure avec moi dans mon taxi. Ça le fait sourire. Il nous dit qu'il aime beaucoup Paris, nous raconte qu'il est arrivé

de Calcutta il y a trente ans, nous conseille de bons restaurants de curry à Manhattan et me pose des questions sur mon métier « d'avant ». Je lâche le morceau et lui parle du projet de film. Ajoutant que Bertrand est mon chef opérateur. Le type hallucine complètement et promet de regarder *Tu seras un homme* sur Netflix.

*25 $*

Quand il descend, nous parlons avec Bertrand de mon projet. Je lui explique pourquoi il me semble que ce film doit être tourné en équipe réduite dans des conditions proches du documentaire. Je veux pouvoir évoluer dans les rues de New York sans être embarrassé par la lourdeur d'une grosse équipe de tournage, je veux passer inaperçu, attraper certains moments à la volée, pouvoir improviser en toute liberté... J'ai d'ailleurs l'intention de faire venir de France le noyau dur de l'équipe avec qui je travaille depuis plus vingt ans. Bertrand bien sûr, mais aussi Léo, indispensable bras droit, et Jean-Luc ou Didier pour assurer le son. Des fidèles, devenus des amis, qui m'ont soutenu, de projets en projets, contre vents et marrées, et avec qui je sais que je peux relever ce genre de défi... Il faudra aussi s'équiper d'une petite caméra, facilement utilisable dans l'étroit habitacle du taxi. Il me semble que le Canon 5D avec lequel j'ai tourné mon précédent film serait idéal. Bertrand tique. Il m'explique qu'il y a plein de nouvelles "vraies" caméras beaucoup plus performantes aujourd'hui. La technique a fait un bond énorme en quatre ans (quatre ans déjà !). Je lui oppose que le Canon a un capteur plus grand que la plupart des autres caméras du marché et que c'est ce qui donne à son image un rendu si particulier, avec des flous magnifiques, proches d'une image pellicule, moins vidéo. Il en convient.

**10.13**  MoMA
Fausse course pour déposer Bertrand au MoMA.
*16,80 $*

On se donne rendez-vous vers 12 h 30 pour aller déjeuner. Il faut que je récupère un peu de thune en solo pour que la journée ne me coûte pas trop cher.

**10.45**  86th St & 3rd Av
Femme, la cinquantaine, silencieuse. Elle regarde défiler la ville par la fenêtre. Pour essayer d'engager la discussion, je lui demande si elle vit à New York. Oui, depuis vingt-cinq ans. Elle est née en Californie, a fait ses études en Arizona et a rencontré son mari en Floride. Elle me demande pourquoi j'ai décidé de m'installer aux États-Unis. Je lui parle de mon envie de changer de vie, de repartir de zéro, d'affronter de nouveaux défis. J'ai rencontré beaucoup d'Américains, dans les festivals, qui avaient comme elle vécu dans cinq ou six états différents tout au long de leur vie. Moi je viens d'une ville où la majorité des gens naissent, vivent et meurent au même endroit.
*15,35 $*

**11.05**  Penn Station
Quatre étudiantes qui partent visiter une université dans le Connecticut. Elles ont l'air joyeux. Ce sera bientôt au tour de ma fille.
*21,95 $*

**12.00** MoMa

Fausse course pour aller chercher Bertrand au MoMA.

*15,80 $*

**12.35** 13<sup>th</sup> St & 2<sup>nd</sup> Av

Fausse course pour aller déjeuner dans l'East Village.

*21,30 $*

Je décide de faire découvrir Momofuku à Bertrand. Il est surexcité. On commande quasiment toute la carte. *Spicy shrimp roll, Country hams, Pork buns, Fried duck dumplings, Seven spice lamb, Spicy pork sausage & Rice cake, Roasted fingerling potatoes…* Une heure trente à table. Si les gars du garage me voyaient !

On est farcis. Pas le courage de bosser cet après-midi.

Je fais les comptes. Une fois les frais du garage remboursés et les fausses courses soustraites, j'aurai perdu 30 $. Pas cher pour louer une bagnole une journée et faire des repérages dans les rues de New York avec un vieux pote.

**14.30** Garage

Fausse course pour rentrer au garage.

*28,80 $*

Bilan de la journée : 13 courses

*199,90 $ – 138 $* (Location) – *92,50 $* (courses fictives) = – *30,60 $*

*Lundi 1ᵉʳ février 2016*

Nous avons passé le week-end à parcourir la ville avec Bertrand. Je lui ai montré les décors auxquels je pensais, le type de lumières que je voudrais obtenir, les gens que j'aimerais filmer et, bien sûr, les bars où on ira boire des coups après le tournage. On a parlé du film, inlassablement. J'ai promis de me mettre à l'écriture du scénario dès que j'aurai fini de conduire pour qu'on puisse donner le premier coup de manivelle au printemps 2017.

Retour à la routine.

Départ de la maison : 5 h 45
Départ du garage : 6 h 30

**6.55** 85ᵗʰ St & Madison Av
Homme blanc. 50 ans. Odieux. Il entre en trombe dans mon taxi. Ni bonjour, ni comment ça va. Il s'énerve car je n'ai pas voulu griller un feu. Il m'ordonne ensuite de tourner à droite sur Madison. J'avais compris 58ᵉ au lieu de 85ᵉ. Oups ! Je le sens exaspéré à l'arrière. Ça me stresse. Du coup, je me gare le long du trottoir de droite au lieu de celui de gauche comme il me l'a demandé. Il me tend 7 $ et sort en soufflant. Pas de pourboire bien sûr. La journée ne fait que commencer et je suis déjà en nage.
*7 $*

**7.05** 35ᵗʰ St & Broadway
Femme blanche. 45 ans. Glaciale.
*12,80 $*

**7.20** 35th St & 5th Av
Femme, 40 ans, avec un fort accent espagnol. Très
en retard. Elle ne s'est pas réveillée. Je fonce.
*10 $*

Alors que je conduis à vide, je grille, sans m'en
apercevoir, un feu permettant de tourner à droite sur
Madison Avenue. Une femme en jogging, d'une cinquantaine d'années, me fait des grands signes. Je
m'arrête à son niveau. Elle commence à m'insulter.
Je redémarre aussi sec. Putain, qu'est-ce qu'ils ont
tous aujourd'hui ? *Fuckin' job !*

**7.45** Columbia Hospital (165th St & Broadway)
Petit moustachu à lunettes, 60 ans. Il a l'air
complètement déprimé. Que va-t-il faire à
l'hôpital ?
J'imagine un échange de dialogues pour le film :
« Comment allez-vous aujourd'hui ?
— Mal. Je vais mourir. »
*29,15 $*

**8.05** La Guardia Airport
Alors que je m'apprête à redescendre à vide vers
Central Park, une femme brune, la cinquantaine,
avec une valise, me fait signe. Direction l'aéroport
de La Guardia. Bingo ! Elle est d'origine mexicaine, habite à Atlanta et vient de rendre visite à
sa sœur qui travaille à l'hôpital. On discute tout
au long du trajet. Je me détends.
*49,59 $*

**8.50** Grand Central Pkway & Ditmars Blvd
Je décide de rentrer de l'aéroport en évitant les autoroutes. Très vite, une jeune femme m'arrête. Elle me

donne une adresse inconnue. Je lui avoue que je connais très mal le Queens. Elle me guide. Nous arrivons à destination quelques *blocks* plus loin.
*4,80 $*

**8.52** Somewhere in the Bronx
Au milieu de nulle part, une quadragénaire, entre dans mon taxi. Elle veut aller dans le Bronx. Elle me guide à son tour. Elle m'explique qu'elle travaille dans un entrepôt de fruits et légumes au cœur d'un quartier sinistré. C'est un des derniers coins vraiment dangereux de New York. Elle va tous les jours au boulot en taxi, ne sort pas de la journée et revient en Uber. Les maisons alentour sont décrépites, des types patibulaires zonent à pied sur la grande avenue qui longe l'entrepôt et les quelques voitures garées là ont été vandalisées. J'attends que ma cliente soit entrée dans son immeuble, comme avec une enfant, verrouille mes portes et repars vers Manhattan sans demander mon reste.
*30 $*

**9.40** 56<sup>th</sup> St & 3<sup>rd</sup> Av
Type muet de 60 ans qui sent le talc et porte une casquette anglaise. À un feu, une femme brune habillée tout en noire avec une cravache à la main passe devant nous. Elle se tourne vers moi, me regarde droit dans les yeux, se donne un léger coup sur la cuisse puis continue sa route.
*16,55 $*

À la fin du tournage, j'ai l'intention de louer un taxi et de passer quelques jours seul avec Bertrand à mes côtés à sillonner et filmer les rues pour essayer de capter ce genre de moments à la volée. New York est peuplé d'êtres humains hors norme, étranges et désinhibés qui rendent cette ville si particulière. Je me souviens, dans *In the Cut* de Jane Campion, de ces personnages typiquement new-yorkais qui apparaissaient et disparaissaient en permanence au bord du cadre. C'était à peine perceptible mais permettait de savoir, ou plutôt de sentir, exactement où on se trouvait.

**10.35** 36th St & Broadway
Homme blanc et chauve. 35 ans. Il me tend un papier avec son adresse. Je lui demande si le West Side Highway lui convient. Il s'en fout.
*15,35 $*

**11.00** 46th St & Lexington Av
Je charge au coin de la 5e Avenue un Black de 40 ans très efféminé qui me demande de le déposer trois *blocks* plus loin. Avec les embouteillages, nous mettons quinze minutes pour parcourir 200 mètres. À chaque fois que je passe sur une bosse, il renverse un peu de son café et pousse un petit cri : « Mais comment vous pouvez conduire dans cette ville ? C'est épouvantable ! » Avant qu'il ne quitte le véhicule, je lui souhaite une bonne fin de journée. Il me répond : « Espérons. Si je ne meurs pas d'ici là ! » Je repense au type de l'hosto.
*6,35 $*

**11.15** 86th St & Riverside Blvd
Femme, 70 ans, fourrure. Je suis les indications du GPS pour essayer d'éviter les bouchons. Tout à coup, la passagère me demande de changer de direction. Je fais une marche arrière rapide et

emboutis le pare-chocs de la voiture derrière moi.
Je sors. Heureusement c'est un 4 x 4 et il n'a rien.
Les véhicules autour se mettent à klaxonner
furieusement. Je remonte en voiture, m'excuse
auprès de ma cliente et repars. Je me voyais déjà
obligé de faire un constat incompréhensible ou
me faire menacer par un cinglé bodybuildé !
*15,30 $*

**11.45** 45th St & 9th Av
Jeune fille. 25 ans. Scotchée à son téléphone portable.
*11 $*

**12.00** Hudson St & Spring St
Je passe prendre ma fille sur la 9e Avenue et
l'emmène déjeuner dans Greenwich Village.
*15,30 $ (fausse course)*

12 h 20 : Salade au Westville de Soho avec Philomène. Je la sens stressée. Elle attend les réponses des
*colleges* auxquels elle a postulé. L'enjeu est énorme. Elle
est arrivée il y a un an et demi, ne parlant pas anglais,
et a dû se mettre au niveau de gamins qui préparent
leur entrée à l'université depuis la maternelle. Elle se
retrouve, aujourd'hui, sur le point d'intégrer l'une des
meilleures de la côte est. Ce changement d'environnement, de culture, lui a fait un bien fou. Elle a repris
confiance en elle, retrouvé le goût du challenge, bref
découvert une atmosphère qui lui correspond et où
elle s'est pleinement épanouie. Elle a créé un site Internet sur de jeunes femmes artistes, *Speciwomen*, elle a
été invitée à faire une conférence prestigieuse (TED
Talk) pour en parler et elle enchaîne aujourd'hui les
stages dans les galeries et les musées. À New York, un

jeune qui a de la volonté et du talent est vite repéré. On lui donne sa chance. L'esprit compétitif omniprésent dans le système éducatif américain correspond bien au caractère de Philomène. Elle aime relever des défis, se dépasser. À Paris, l'ambiance était plutôt au demi de bière en terrasse avec les copains et joint sur les bancs du Luxembourg. Ici c'est l'adrénaline. En l'écoutant et en la regardant, je me dis que nous avons fait le bon choix. Je suis fier d'elle. La décision n'a pourtant pas été facile. Pas évident de séparer une adolescente de 16 ans de ses amis, de sa famille, de ses racines et de se dire qu'elle deviendra peut-être américaine. Grosse responsabilité.

**13.**20  Lafayette Av & Clermont Av / Brooklyn
Je ramène Philomène à la maison.
*18,80 $ (fausse course)*

**14.**15  Beekman St & South St
Homme d'affaires, sosie de Churchill. Il m'annonce une adresse totalement inconnue. Je suis ses instructions.
*20 $*

Je prends conscience, pour la première fois, en écoutant cet homme me guider, que je suis un imposteur. Je prétends être chauffeur de taxi alors que je ne connais pas vraiment cette ville et que je suis, la plupart du temps, obligé de me fier à mon GPS pour amener mes passagers à bon port. Mais n'est-ce pas le cas de la plupart des *drivers* que j'ai croisés sur ma route ? Ils ont débarqué comme moi de l'autre bout du monde et se sont retrouvés après quelques heures de formation à naviguer dans cette mégapole dont ils ignorent absolument tout parce que eux, contrairement à moi, n'y ont jamais mis les pieds. Certains font ce métier depuis plusieurs années et maîtrisent mieux leur sujet (surtout ceux d'avant l'ère GPS) mais les débutants sont tous dans la même galère. La seule chose qui me différencie vraiment d'eux est que je n'ai pas besoin de ce métier pour gagner ma vie. Devrais-je culpabiliser à l'idée de prendre la place de quelqu'un qui en a absolument besoin ? Je dois en passer par là pour écrire un film, faire mon métier, et moi aussi finalement gagner ma vie. « Gagner ma vie », je n'avais jamais réfléchi à cette expression et elle me semble particulièrement adaptée à ce que je ressens à travers cette expérience de *cab driver* : je gagne une nouvelle vie, comme dans un jeu vidéo.

Cela me fait penser à une histoire que nous a racontée Bertrand le week-end dernier : il a travaillé, il y a quelques années, sur un film avec un plasticien japonais. Après quelques jours de tournage, voyant que le réalisateur ne réagissait pas, il a pris la costumière à part et lui a remonté les bretelles : ses costumes n'étaient jamais raccords, il n'y avait aucune cohérence entre les différents plans, aucune continuité. Où avait-elle appris son métier ? Elle lui a alors avoué qu'elle était elle aussi une artiste conceptuelle et que ses interventions consistaient à se faire passer pour quelqu'un qu'elle n'était pas et voir combien de temps ça pouvait durer avant qu'elle ne soit démasquée. Elle avait par le passé fait semblant d'être banquière, cuisinière, chauffeuse de bus… Comme autant de vies de gagnées. Magnifique ! Je voudrais qu'à un moment du film une passagère dise à mon héroïne qu'elle est plasticienne et lui raconte cette histoire. Je pourrais demander à l'artiste japonaise de jouer son propre rôle.

**14.40**  La Guardia
Homme d'affaires de 45 ans en route pour Minneapolis. Long silence.
*54,39 $*

Pendant le trajet qui nous mène à l'aéroport, je songe à Alban, mon vieux camarade de route, acteur, scénariste et écrivain. Il a joué dans plusieurs de mes courts, puis nous avons écrit ensemble mon premier long-métrage, *Caméléone*, avant de nous retrouver sur différents projets de films et de séries. Il habite aujourd'hui dans un petit village au bord de la Loire où je lui rends systématiquement visite à chacun de mes retours en Europe. J'aimerais qu'il participe au film. Il pourrait jouer le rôle d'un Français perdu dans New York qui ne parle pas un mot d'anglais. Il s'exprimerait avec des bouts de papiers sur lesquels il aurait griffonné les adresses des endroits où il voudrait se rendre et le petit fascicule *POINT IT*, dans lequel sont répertoriées toutes les images qui peuvent servir à s'exprimer dans n'importe quelle langue, il suffit de les pointer du doigt… Mon héroïne pourrait sympathiser avec ce type bizarre. J'imagine leur première rencontre ; il monte dans son taxi, lui indique l'adresse d'un bar, pense qu'elle est américaine, commente tout ce qu'il voit en français, croyant qu'elle ne comprend rien, s'amuse d'avoir une chauffeuse à qui il peut confier des trucs privés sans qu'elle s'offusque, et puis finalement,

au moment de se faire payer, elle le remercie en français et lui suggère un autre bistrot, moins touristique.
Ils s'y retrouveront peut-être…

Arrivée au garage : 15 h 30.

Bilan de la journée : 15 courses
*316,38 $ – 201,04 $* (Location taxi + fausses
courses) = + *115,34 $*

## Mardi 2 février 2016

Je reçois par la poste ma convocation au tribunal
pour les trois PV du premier jour. Je dois me présenter le 7 juin à 8 h 30.

J'espère ne pas perdre trop de points. Même si je ne
compte conduire que quelques mois, j'ai l'intention de
renouveler ma licence chaque année. On ne sait
jamais… Il faut payer 80 $, faire un nouveau *drug test*
et participer à une remise à niveau (*5 hours class*). Il
s'agit d'un cours de sensibilisation au code de la route
que tout apprenti conducteur, taxi ou pas taxi, doit
suivre avant de pouvoir passer son permis de conduire.
Lorsque j'y ai assisté en mars 2015, je suis tombé sur
un ancien flic black dont l'élocution ressemblait à celle
d'un de ces prêcheurs que l'on rencontre dans les
églises de Harlem. Il haranguait sa classe à coups de
préceptes métaphysiques : « Conduire est un acte
d'amour. Les chauffeurs sont les seigneurs de la circulation. C'est la haine qui crée les catastrophes. Sur la
route, ni riches ni pauvres, nous sommes tous égaux.
On n'écrase pas les chiens non plus. Souvenez-vous
que certaines personnes n'ont pas de famille, elles
n'ont que leur chien. On n'écrase pas les chevaux non

plus. On n'écrase pas les daims. Les daims sont sacrés pour les Indiens d'Amérique... »

Et il avait fini, sans qu'on comprenne pourquoi, par nous raconter l'histoire de sa grand-mère qui, à 99 ans, a décidé de fumer sa première cigarette et de boire son premier verre de whisky. Elle est morte deux mois plus tard.

*Mercredi 3 février 2016*

Il y a des réveils plus difficiles que d'autres. Ce matin, pas du tout envie d'y aller. Je me pousse au cul. Cette aventure ne durera que quelques mois et n'a de sens que si je maintiens un rythme régulier.

Au garage, Kenny, le dispatcheur, n'a pas l'air en grande forme non plus. Il a dû me voir arriver par la fenêtre. À peine entré dans le bureau, il me tend la clé de la 14 et ma feuille de route, sans un mot. Je ressors illico.

Départ du garage : 7 h 25.

**7.35**   75th St & York Av

Jeune Français. 15 ans. Avec des béquilles. Son père le met dans mon taxi à la sortie du Queensboro Bridge et me demande de le déposer au lycée français. Ça fait cinq ans qu'il habite à New York mais Paris lui manque toujours autant. Il ne s'est jamais vraiment adapté. Il me raconte en souriant qu'il a gardé sa montre à l'heure française pendant ses six premiers mois ici. Je ne peux m'empêcher de penser à mon fils Aurélio, encore très nostalgique de la France. Cette expérience est

beaucoup plus compliquée pour lui que pour sa sœur. Même s'il parle de mieux en mieux anglais, il n'est pas encore bilingue et n'a pas la bande de copains qu'il avait à Paris. Il passe beaucoup de temps seul, au cinéma, à jouer de la musique ou à dessiner. Mais ce nouvel environnement développe son ouverture d'esprit. La semaine dernière, il a participé à un stage de rock organisé par la Brooklyn School of Music. À la fin de la première journée de répétitions, je lui ai demandé comment cela s'était passé. Il m'a dit que ça lui plaisait, que les autres membres du groupe étaient sympas, à part le batteur un peu trop prétentieux à son goût. Une semaine plus tard, en allant assister à leur concert dans un bar du Lower East Side, j'ai remarqué que tous les autres membres du groupe étaient noirs. À aucun moment Aurélio n'y avait fait allusion. Je le regardais jouer, passer de la batterie à la guitare sans crâner, et je me disais : quelle confiance en lui ; il m'épate chaque jour un peu plus. Le système américain, très valorisant, dans lequel le verre est toujours à moitié plein, lui fait manifestement beaucoup de bien.
*13 $*

**7.50**   48th St & 8th Av
Une mère et son fils de 8 ans en partance pour l'école (c'est fou le nombre de gens dans ces quartiers friqués de l'Upper East et West Side qui accompagnent leurs enfants en taxi à l'école !) Elle lui lit une histoire à voix basse pendant tout le trajet. Le calme avant la tempête.
*19,80 $*

**8.20**   52$^{nd}$ St & Madison Av
Homme d'affaires chafouin. Zéro contact.
*8 $*

**8.43**   51$^{st}$ St & 6$^{th}$ Av
Vieux monsieur fatigué. Avec deux gros sacs.
Aucun échange. Aucun *tip*.
Le pourboire est un enjeu énorme pour les chauffeurs. Il permet d'augmenter leur chiffre d'affaires
d'en moyenne 20 %. Lorsqu'on fait bien son
boulot, qu'on conduit son passager à destination
dans les temps et qu'on n'obtient pas de pourboire, on se sent insulté.
*18,80 $*

**9.15**   18$^{th}$ St & 6$^{th}$ Av
Une femme de 40 ans et sa fille de 8 ans. La gamine
lui dit « *I love you* » cinq fois sans que la mère
prenne la peine de répondre. Elle a l'air complètement défoncée et passe son temps au téléphone.
Nous sommes bloqués dans les embouteillages.
Elle devient hystérique tout à coup : « Vous vous
foutez de moi ! » Je lui explique que c'est bouché
partout depuis le début de la journée et que je fais
de mon mieux. « C'est insupportable ! » Je grille un
feu pour essayer de la calmer. Elle s'adoucit, mais se
remet à hurler quand un type essaie de nous dou-
bler par la droite.
*19,70 $*

**9.45**   44 W 28$^{th}$ St
Homme d'une cinquantaine d'années, charmant,
qui n'arrête pas de parler. Il me raconte sa vie. Ce
n'est pas passionnant mais ça occupe. Je me rends
compte avec effroi que le GPS déconne et nous

fait faire un énorme détour. Heureusement que le type vient du New Jersey et ne semble pas s'en rendre compte. Je ne fais aucun commentaire. Ça passe. Il me remercie à l'arrivée.
*14 $*

**10.10**  208 Canal St
Chauve muet.
*20,35 $*

**10.35**  230 7<sup>th</sup> Av
Vieille femme riche et impotente. Je lui demande si elle est d'accord pour qu'on prenne le West Side Highway pour remonter en haut de la ville. Elle me répond : « Comme vous voulez, du moment qu'on arrive à destination, *my dear.* » Elle passe le reste du trajet au téléphone.
*27,85 $*

Une heure à tourner en rond sans le moindre client. J'écoute du jazz.

Je pense à mon père. Nous adorions, dans les années 80, aller écouter Freddie Hubbard, Hank Mobley, Horace Silver, ou encore Wynton Marsalis au Blue Note, au Village Vanguard, au Birdland ou à l'Iridium. Dès la descente de l'avion, nous nous précipitions Downtown, épuisés par le voyage et le décalage horaire mais électrisés par la ville, sa musique et ses lieux mythiques.

La dernière fois que nous avons fait ce voyage ensemble au printemps 2010, il était déjà malade et n'avait pas eu la force pour une ultime virée.

**11.45**  Avenue B & 11<sup>th</sup> Av
Un couple, la trentaine. Ils parlent de baby-sitting, d'examens de santé, de régime alimentaire,

d'allergie, d'eczéma et de toilettage. Je comprends au bout d'un moment qu'il s'agit de leur chat. Ici, les animaux domestiques sont considérés comme des enfants. Ne surtout pas plaisanter avec ça...
*8,80 $*

12 h 25 : Pause. Je retourne au Saigon Vietnamese Sandwich. Aujourd'hui, petite variante : *Lemongrass Beef Banh Mi.* Il pleut des cordes dehors. Je m'installe dans mon taxi pour déjeuner. Ça pue. J'essaie d'aérer. Je suis trempé. Je vaporise l'habitacle de mon spray au citron et redémarre. Il est 12 h 40.

**12.55** 1170 Broadway
Asiatique, la quarantaine, très chic, qui ouvre immédiatement sa fenêtre en entrant dans le taxi. L'odeur du sandwich doit être tenace à l'arrière.
*13,80 $*

**13.25** 281 9th Av
Métis, branché, cheveux décolorés, chapeau à la Pharrell Williams, 30 ans. Je repère un léger accent dans sa voix. Je lui demande s'il habite à New York. « Né et élevé ici ! » Raté. Il me dit qu'il est acteur et scénariste. Je lui raconte mon histoire. Il n'en revient pas, me pose mille questions. Il finit par me tendre sa carte de visite et me demande de lui faire signe si j'ai du travail pour lui. Cocasse. En sortant, il ajoute : « C'est le voyage en taxi le plus excitant de ma vie ! »
*14,80 $*

**13.45** Washington St & Clarkson St
Homme habillé en velours noir avec des boots en poil de zèbre. Je le dépose devant l'entrée d'un

défilé de mode au milieu des hangars de Greenwich Village.
*13 $*

**14.15**  15<sup>th</sup> St & Union Square West
Rosbif. Froid. 50 ans.
*8,30 $*

Je me retrouve arrêté à un feu rouge derrière une
dépanneuse sur laquelle est collé un *sticker* : « Nous
nous sommes rencontrés par accident ». *Spiritoso,*
comme disait mon père.
Il pleut toujours des cordes.

**14.25**  183 Madison
Femme trempée. 40 ans. « Vous me sauvez, *Sir.* »
*14,15 $*

**14.45**  49<sup>th</sup> St & Madison Av
Deux touristes japonais, casquettes « I LOVE
NY » sur la tête et appareils photo autour du
cou. Muets.
*6,60 $*

**14.50**  183 Centre St
Black, la quarantaine, très mince, avec une longue
cicatrice sur le côté du visage. Il me raconte qu'il
a combattu en Irak, la guerre, son retour au pays,
sa femme qui l'a quitté, ses galères de logement…
À l'arrivée, il me demande si je peux lui offrir la
course et le dépanner de 10 $. Pris au dépourvu,
je me retourne et lui souris. Dans son regard je
sens de la honte. J'extrais deux billets de 5 $ de
ma recette du jour et lui tends à travers la séparation. Il me remercie chaleureusement.
*– 10 $*

**15.15** 151 W 21<sup>st</sup> St

Homme très petit qui se met à l'abri de la pluie dans mon taxi pour trois *blocks*.
*6,30 $*

**15.45** 55<sup>th</sup> St & 8<sup>th</sup> Av

Deux adolescents amoureux qui se bécotent pendant tout le trajet. De temps en temps, la fille, un peu gênée, me jette des coups d'œil dans le rétroviseur.
*14,30 $*

Retour garage : 16 h 30

Bilan de la journée : 18 courses
*241,55 $ – 156,72 $* (Location taxi + Ancien combattant) = *+ 84,83 $*

Cela fait maintenant un mois que j'ai commencé à conduire. Je suis à la fois exténué et de plus en plus excité par cette expérience, voire un peu accro. Toujours la même montée d'adrénaline à chaque fois qu'un passager entre dans mon taxi. Vais-je comprendre la destination qu'il va m'annoncer ? Où va-t-il me conduire ? Quelle relation vais-je avoir avec cette personne ? Allons-nous parler ? De quoi ? Que vais-je apprendre de nouveau ? Pour moi ? Pour le film ? Et puis les nouvelles idées qui me viennent quand je roule à vide en écoutant mon jazz. C'est la première fois que je travaille de cette manière et j'y prends goût. Je sais qu'à un moment donné il faudra que je m'arrête et m'installe devant mon ordinateur pour attaquer le scénario. Je préfère ne pas y penser pour l'instant et vivre pleinement cette aventure.

*Lundi 8 février 2016*

Je suis très motivé ce matin. Je me lève aux aurores, espérant arriver le plus tôt possible dans le Queens. Malheureusement le métro est en panne. Je mets une heure trente pour atteindre le garage en bus. La journée commence mal.

Départ du garage : 7 h 30

Ça continue, je rate une course à la sortie du garage. Puis plus rien pendant presque une heure. Qu'est-ce qui se passe aujourd'hui ? En plein *rush hour*, les gens sont censés partir au bureau, être pressés, prendre des taxis, se battre…

**8.25**   57th St & 6th Av
Homme. Muet. Sale gueule.
*9,80 $*

**8.40**   57th St & 7th Av
Homme. Muet. En tenue de sport.
*11 $*

**9.00**   317 E 34th St
Homme. Muet. Qui sent l'alcool.
*17 $*

**9.30**   57th St & 7th Av
Gros barbu qui chuchote au téléphone.
*15 $*

**9.45**   33rd St & Park Av
Femme blanche. Lunettes noires. Silence.
*18 $*

**10.15**  83<sup>rd</sup> St & Park Av

Milliardaire. Zéro contact.

*8,75 $*

**10.30**  91<sup>st</sup> St & Columbus Av

Infirmière. Absente.

*11 $*

**10.40**  67<sup>th</sup> St & Lexington Av

Mère qui est allée chercher sa fille à l'école pour le déjeuner. Invisible.

*12,25 $*

Éprouvant tous ces gens pour qui je n'existe pas.

**10.55**  30<sup>th</sup> St & 5<sup>th</sup> Av

Jeune femme. Glaciale. Et qui sent mauvais en plus. Elle a pété, je crois. Seul événement notable de la matinée...

*9,80 $*

Je me surprends à parler tout seul entre deux courses. Ça doit commencer à me taper sur le ciboulot ce boulot : « Tu crois qu'il va traverser le type avec le chien ? Non c'est bon, tu peux y aller... Bon je fais quoi ? Je remonte vers le Park ou je descends Downtown ? À cette heure-ci c'est mieux de redescendre, non ? » J'aime bien cette idée que mon héroïne se parle à elle-même à haute voix.

**11.30**  Water St & Broad St

Femme blonde. 45 ans. Conversation sur la pluie et le beau temps qui fait un bien fou. Elle me demande si je suis français. Je lui explique que je fais au mieux pour me débarrasser de mon accent mais que je sais bien que c'est un combat perdu

d'avance. Elle me répond qu'il faut absolument le garder. « *It's so charming !* »
*19,55 $*

Midi pétantes : Déjeuner. Je décide de m'offrir un bagel au saumon fumé chez Russ & Daughter Café pour me remonter le moral. Je prends mon temps.

13 heures : *Back to work.*

**13.40**   Spring St & Crosby St
Femme, 40 ans, avec un orteil cassé. Elle me demande de l'attendre pendant qu'elle fait une course dans un magasin de vaisselle. Je l'aide à porter ses casseroles. Bon pourboire.
*18,30 $*

**14.05**   56th St & 6th Av
Homme d'affaires d'une quarantaine d'années. Au téléphone. *Conference call* où il n'arrive pas à en placer une. Dès qu'il prend la parole, il est coupé. J'imagine une séquence du film où un type dans son genre entrerait, plutôt flamboyant, dans le taxi et se ferait virer au cours du trajet. À l'arrivée, il resterait prostré sur la banquette arrière en larmes. Ça raconterait l'incroyable violence du monde du travail dans ce pays où on peut perdre son job à n'importe quel moment. Mais c'est aussi cette flexibilité qui fait que le chômage est quasiment inexistant, que les sociétés recrutent si facilement et qu'on sent une telle énergie. Le travail est au centre de la vie des New-Yorkais. Ils travaillent tout le temps, ont parfois deux jobs et changent souvent d'emploi. *Work culture !*
*14,10 $*

À un feu rouge, une femme traverse devant mon taxi. Tout à coup, sans raison, elle se tourne vers moi et me fait une atroce grimace. Je ris tout seul et pense aussitôt au personnage de Gena Rowlands dans *Une femme sous influence*. Cassavetes disait : « L'espoir, bien sûr, c'est que les gens restent fous. »

**14.45** 93rd St & Central Park West

Asiatique, sans âge, au téléphone. Elle est femme de ménage. Son mari vient de la quitter et un de ses enfants est très malade. Elle doit trouver un deuxième job (de nuit) pour payer les soins. Zola *made in USA*. Je pense à lui offrir la course mais me ravise de peur de la vexer.

*10,30 $*

**15.00** 61st St & 1st Av

Deux vieilles Brésiliennes en manteaux de fourrure. J'essaie de leur parler du Brésil, ce pays magnifique où les gens sont tellement accueillants… Flop !

*18 $*

Cette course m'amène au pied du Queensboro Bridge. C'est un signe. Je décide de rentrer.

En traversant le pont, je repense à cette longue et morne journée. Rien de très intéressant pour le film. Et puis j'ai une idée : À la fin, alors que mon héroïne se retrouve à Hollywood avec son taxi et qu'elle s'apprête à repartir en direction de New York, son téléphone sonne. C'est le type qu'elle a conduit à Los Angeles qui la rappelle, on ne sait pas ce qu'il lui dit. Elle répond : « Bien sûr. Avec plaisir. » On la voit faire demi-tour et se payer une chambre d'hôtel. Elle arrive le lendemain matin à l'accueil d'un bureau puis se retrouve dans une salle d'attente. On finit par appeler son nom. On comprend qu'il s'agit d'une audition. Elle se retrouve face à la directrice de casting et à son assistant. La femme lui demande : « *Are you ready ?* » Un temps. Elle répond : « *Yes.* » Noir. Fin.

Arrivée au garage à 15 h 30. Le petit bureau est rempli d'Africains qui tchatchent et rigolent entre eux au sujet des femmes indiennes qui, d'après eux, ne portent pas de sous-vêtements. « C'est culturel, je te dis. » « Et les Pakistanaises c'est pire : elles ne portent pas de slip et en plus ne se lavent pas, c'est pour ça qu'elles sentent si mauvais. » Ils éclatent de rire. « Je vous jure ! Je vous jure ! »

Le racisme ordinaire est la chose la mieux partagée, même par ceux qui le subissent au quotidien.

J'encaisse mon argent et sors.

Bilan de la journée : 14 courses
*192,85 $ – 151,32 $* (Taxi + péages) = *+ 41,53 $.*
*Fuckin' hell.*

Pour continuer ce boulot, il faudra que mon héroïne y trouve vraiment son compte parce que ce n'est clairement pas le plus lucratif pour une femme de 40 ans plutôt jolie qui aurait le choix et pourrait postuler comme serveuse, hôtesse ou vendeuse. Il faudra qu'elle tienne à sa liberté, et à sa solitude.

### *Mercredi 10 février 2016*

CharlElie Couture m'accueille dans son atelier de Spanish Harlem. Un ami commun nous a mis en contact quelques jours plus tôt. Il me montre ses dernières toiles et me fait écouter en avant-première son nouvel album, enregistré dans le bayou, en Louisiane, mélange parfait de nos deux cultures. Nous descendons ensuite déjeuner chez Malii, un petit restaurant thaïlandais au coin de la 104ᵉ Rue. Nous parlons de New York. Il me dit à quel point cette ville stimule sa création. Elle agit sur lui comme une drogue. Je lui confie que moi aussi je me suis senti pousser des ailes et lui raconte ma nouvelle vie de *taxi driver*. Il adore, lui qui, treize ans plus tôt, a troqué sa casquette de chanteur reconnu en France pour celle de peintre inconnu ici. Lorsqu'il s'est installé à New York, il a décidé d'explorer la ville en empruntant toutes les lignes de métro d'un terminus à l'autre, sans exception.

Pour prolonger notre discussion, il m'envoie, un peu plus tard dans la journée, un long mail dans lequel il me parle de déracinement, de liberté, de rêve, de quête du bonheur… Il conclut par : « Plein d'espoir, l'étranger amène en lui son énergie, son enthousiasme sa force vive et ses idées nouvelles, et la ville se régale de ces globules frais. New York est une ville de compétition. Ici, on se lance des défis sans fin. Et chaque fois on recule la limite en regardant plus haut vers les étoiles. Si tu craques, tant pis, on te reprochera plus de n'avoir pas essayé, plutôt que d'être tombé. Ici, on t'aime éventuellement pour ce que tu es, oui, peut-être, mais on t'aime encore plus pour ce que tu veux être. »

### Vendredi 12 février 2016

Ce matin, ma voiture habituelle est partie avec un autre chauffeur. Mohamed, le dispatcheur ghanéen, m'attribue une camionnette pourrie. L'habitacle est minuscule et je n'arrive pas à déplier mes jambes. Impossible de conduire onze heures dans ces conditions. Je pense aussi au tournage de l'après-midi. J'ai rendez-vous avec un copain producteur qui a besoin d'un taxi pour un petit clip qu'il tourne pour l'émission de NBC, *Shark Tank*. C'est une sorte de reality show où des entrepreneurs viennent présenter leurs projets à cinq gros bonnets de l'industrie américaine qui décident ou pas de les financer. On a dîné ensemble la semaine dernière et il m'a expliqué qu'il voulait faire quelques plans d'un jeune Français venu présenter sa start-up sur fond d'Empire State Building avant de s'engouffrer dans un taxi (le mien en l'occurrence). Ils n'ont pas de budget mais j'ai accepté en pensant pouvoir intégrer cette situation dans mon film : lors d'un dîner similaire, mon héroïne raconte qu'elle est chauffeuse, un type qu'elle ne connaît pas lui propose un petit tournage du même genre (moyennant finance pour le coup). Elle se retrouve figurante, entourée d'une équipe qui ne sait pas qu'elle est actrice. Cruel.

J'essaie donc d'obtenir une autre voiture mais cela semble compliqué. J'attends en compagnie de trois Africains qui s'engueulent sur les dates d'indépendance de la Côte d'Ivoire pendant que sur le bureau un ordinateur diffuse une vidéo d'un imam en train de déclamer la prière du matin.

Au bout d'un moment, un des types accepte d'échanger son taxi avec moi. Je récupère une vieille Ford avec 250 000 kilomètres au compteur, un système de chauffage archaïque qui pue les gaz d'échappements et un ordinateur de bord défaillant. Seul avantage, elle a vraiment de la gueule. Bon pour le tournage.

Départ du garage : 7 h 40
Je roule pendant plus de trois quarts d'heure sans croiser le moindre client. Incompréhensible à cette heure de la journée. J'imagine que la même chose me soit arrivée le premier jour, j'aurais été désespéré... Mon téléphone sonne. C'est le patron du garage qui me demande de revenir. Ils ont oublié de remplacer le médaillon sur le capot de la voiture au moment de l'échange. Je ne peux pas rouler comme ça, c'est illégal. Je repars en direction du Queens. Je perds presque une heure. Grands seigneurs, ils m'accordent une ristourne de 10 $.

**9.05** 44$^{th}$ St & 5$^{th}$ Av
Homme d'affaires. 50 ans. Muet. Tout à coup il se met à parler. Je lui demande : « *You're talking to me ?* » Mais le type est au téléphone... Je me rends compte après coup que c'est exactement la phrase que prononce De Niro face à son miroir dans *Taxi Driver*. Je ris tout seul.
*11,33 $*

**9.30** 49$^{th}$ St & 8$^{th}$ Av
Le *doorman* d'un hôtel de la 8$^e$ Avenue me hèle. À ses côtés, un quadra avec deux grosses valises. Je me gare devant eux et commence à chercher le levier d'ouverture du coffre de cette voiture que je ne connais pas. Impossible à trouver. Je me mets à suer. Le portier se moque de moi, se penche dans l'habitacle et appuie sur un bouton dissimulé sous l'accoudoir. Je le remercie.
*6,30 $*

Bloqué dans les embouteillages, je suis obligé de couper le chauffage tellement ça sent les pots d'échappement. J'enfile mon bonnet.

**9.40** 52$^{nd}$ St & 11$^{th}$ Av
Femme frigorifiée. Je remets le chauffage.
*7,25 $*

**9.50** Penn Station
Chinois avec six valises. Heureusement que j'ai appris à ouvrir le coffre...
*14,76 $*

**10.00** 434 Broadway
Deux types d'une quarantaine d'années ultra sympathiques. Ils me posent très vite des questions sur ma vocation de chauffeur de taxi. Je leur raconte mon histoire. Ils n'en reviennent pas, me promettent de regarder *Tu seras un homme* et me laissent 10 $ de *tip*. Ça marche à tous les coups ! Mon héroïne pourrait se servir de son talent d'improvisatrice pour inventer des histoires et divertir ses passagers afin d'obtenir de meilleurs pourboires. Une conteuse moderne.
*25 $*

**10.20** Pier 59
Deux femmes et un homme très bavards. Coup de pompe. Je n'écoute pas.
*13 $*

**10.35** 12$^{th}$ St & 6$^{th}$ Av
Jeune femme qui s'endort en cours de route. Je repense à l'alerte du NYPD que j'ai reçu sur mon téléphone portable quelques jours plus tôt : Un chauffeur de taxi a profité qu'une étudiante de

NYU s'assoupisse sur sa banquette arrière pour l'emmener dans un quartier isolé et la violer.
*11,80 $*

**10.50**  Hudson St & 10<sup>th</sup> St
Grosse femme blonde avec accent bulgare. Je me trompe de route. Je lui fais croire que c'est mon premier jour. Elle s'en fout. *No tip.*
*6,36 $*

**11.15**  Sullivan St & Bleecker St
Femme. 40 ans. Mon compteur déconne et ne se déclenche qu'au bout de dix minutes de course. Je me dis que ma passagère va compenser avec un bon pourboire. Dans mes rêves.
*14,75 $*

**11.35**  90<sup>th</sup> St & 1<sup>st</sup> Av
Étudiant de Columbia d'origine anglaise. On discute tout au long du parcours. Il m'explique qu'il n'aime pas le côté trop impudique des Américains, il préfère la retenue des Britanniques.
*29,90 $*

**12.15**  74<sup>th</sup> St & 2<sup>nd</sup> Av
Femme livide. Muette.
*9,96 $*

**12.45**  45<sup>th</sup> St & 6<sup>th</sup> Av
Femme âgée. Absente.
*8,80 $*

Je passe prendre Éléonore à la sortie d'un casting Midtown. J'attrape au passage un *grilled cheese* chez Prêt à Manger, chaîne de sandwichs bio qui a conquis l'Angleterre avant d'envahir le monde.

*Back to* Brooklyn avec Éléonore à l'arrière de mon taxi. Elle me parle d'un article qu'une amie, qui habite pas loin de chez nous, a posté sur Facebook. Il s'agit d'un appel à candidature lancé par une galerie de Soho. Ils invitent des artistes à s'installer en résidence, dans leur local situé au coin de Grand Street et West Broadway, pendant deux mois, et à travailler sur un projet en interaction avec le public. Éléonore a l'idée de proposer quelque chose autour de l'expérience que je suis en train de vivre. J'adore. Nous pourrions installer un taxi dans la galerie et inviter le public à monter à l'intérieur pour raconter, soit quelque chose de personnel, soit une histoire inventée. L'idée étant que lorsqu'on fait un trajet en taxi, on n'a quasiment aucune chance de revoir la personne avec qui on parle, on peut donc se laisser aller, se confier, raconter n'importe quoi. On se dit d'ailleurs qu'on pourrait aménager l'intérieur de la voiture comme un confessionnal. On afficherait en plus sur un des murs l'histoire de ce projet que je suis en train d'écrire et sur le mur d'en face les histoires racontées par les visiteurs. Devant le véhicule nous pourrions projeter des images de la ville qui défile, filmées depuis mon taxi. Ce sont des premières idées…

Après avoir déposé Éléonore à la maison, je repars en direction de Manhattan en espérant ne pas rentrer à vide. Il est 13 h 45. Il me reste une heure quinze pour me rendre au coin de 29$^e$ Rue et de la 6$^e$ Avenue où j'ai rendez-vous pour le tournage.

Je repense à ce projet d'installation. On pourrait faire quelque chose dans l'esprit de Sophie Calle, dont nous adorons tous les deux le travail. Nous avions vu il y a quelques années une exposition sur sa mère qu'elle avait mise en place dans une église d'Avignon. C'était quelques mois après la mort de mon père et j'avais été bouleversé. Après être devenu chauffeur de taxi le temps d'un scénario, je vais peut-être maintenant me transformer en artiste conceptuel... Tout à coup, au coin de Lafayette Avenue et Clinton Avenue, une vieille femme black lève le bras.

**13.50**   32 Rockaway Blvd

Couple de vieux Blacks. Lui se déplace avec une béquille. Elle l'aide à monter dans la voiture puis m'annonce qu'ils vont à Rockaway Boulevard. Complètement à l'opposé de Manhattan ! Mon GPS indique vingt-cinq minutes. Ça va être chaud... Ils me racontent qu'ils habitent dans le quartier depuis soixante ans. Ils ont vu Brooklyn se transformer de décennie en décennie. Ils se souviennent avec nostalgie des années 60/70 quand c'était très agréable de vivre ici puis il y a eu les émeutes, l'apparition des gangs et du trafic de drogue. Ce n'est que depuis une dizaine d'années que le calme est revenu. Et même si de plus en plus de leurs voisins sont obligés de quitter la ville à cause de l'augmentation des loyers, ils sont heureux de la manière dont les choses évoluent.

*16 $*

Je les dépose à 14 h 30, fais demi-tour et fonce. Le pont de Williamsburg est saturé, je me faufile, suis les détours du GPS, grille quelques feux et arrive sur les lieux du tournage à 15 h 10. L'assistant m'annonce que l'équipe finit un plan dans l'immeuble voisin et me demande de les attendre au coin de la rue. Je sors me prendre un *black coffee*. Il fait de plus en plus froid. La météo annonce − 18° la nuit prochaine !

Ils arrivent une dizaine de minutes plus tard. J'enclenche le compteur. Le réalisateur m'explique ce qu'il attend de moi. Je dois être au volant de mon taxi, attendre que l'entrepreneur entre dans l'habitacle, le saluer, lui demander s'il habite New York et ce qu'il fait ici. C'est à ce moment que le type est censé présenter son projet. Il me demande de jouer la comédie en fait. Ce n'était pas prévu. J'ai toujours été un très mauvais acteur. Mais bon, peut-être qu'en anglais ce sera moins terrible. Et puis je pense à mon film. Imaginer mon héroïne en train de dire ces trois répliques banales aura un côté vraiment pathétique. Parfait.

Ils m'avaient promis que nous aurions fini à 16 heures Ce n'est évidemment pas le cas… À 16 h 40, ils paient les 22 $ indiqués au compteur, ajoutent 40 $ de pourboire et me remercient en m'offrant une bouteille de vin français.

Je repars sur les chapeaux de roue et arrive au garage à 17 heures pile.

Bilan de la journée : 13 courses
*237,21 $ − 136,97 $* (Location taxi) = + *100,24 $*

## Lundi 15 février 2016

Ce lundi 15 février est un jour férié aux États-Unis. C'est le *President's Day*. Pas d'école, pas de banques, toutes les institutions sont fermées. Je décide quand même de travailler, curieux de voir à quoi peut ressembler un *shift* du dimanche. J'ai pris goût à ce quotidien. Serais-je devenu *cab addict* ?

Le week-end a été glacial. Les températures sont descendues jusqu'à − 28°. À la maison, un tuyau a gelé et nous n'avons plus d'eau dans la cuisine.

Pendant la nuit, j'ai rêvé que l'installation explosait et que tout le rez-de-chaussée était inondé. Je me suis réveillé en sursaut. Il était 5 h 20. Je me suis dit que j'allais en profiter pour partir plus tôt et, du coup, rentrer plus tôt.

J'ai pris une longue douche chaude puis suis descendu à la cuisine me préparer un petit déjeuner avant d'affronter le froid polaire. J'ai alors découvert, avec stupéfaction, que le sol était trempé. Un tuyau d'alimentation avait lâché et un jet d'eau s'échappait du placard en dessous de l'évier. Étant donné la faible quantité de liquide qu'il y avait sur le plancher, ça venait de se produire. J'ai fermé l'arrivée d'eau, épongé le sol et me suis préparé un thé. L'horloge du four indiquait 5 h 45.

Lorsque je suis arrivé au garage, j'ai été surpris par la quantité de taxis sur le parking. Mohamed m'a expliqué que les types venaient travailler plus tard le week-end et les jours fériés. Il n'y a en général personne dans les rues avant 9 heures. Surtout avec ce froid.

Départ du garage : 6 h 55

En effet, Manhattan est désert. Je m'attends à voir Audrey Hepburn mâchonner un croissant en robe de soirée, seule devant la vitrine de Tiffany's.

La ville semble avoir été évacuée, comme après une catastrophe naturelle. Les rues vides sont couvertes de neige. S'échappent çà et là des colonnes de fumée issues du système de chauffage souterrain. Soudain plongée dans le silence, la ville qui ne dort jamais a des faux airs de fin du monde. Ça me rappelle un documentaire que j'avais réalisé pour Arte à la fin des années 90. Le principe était de voyager seul avec sa petite caméra et d'aller filmer une ville ou un pays. J'avais choisi Venise en hiver. Le film était construit en cinq parties distinctes dont l'une s'intitulait « Venise, ville déserte ». J'avais pris le parti de ne filmer que des endroits sans âme qui vive. Je me souviens de m'être réveillé un matin à l'aube pour obtenir une image de la place Saint-Marc sans Vénitiens, pigeons, ni touristes. Une fois tous ces plans montés bout à bout, l'effet était saisissant. La ville comme on ne la voit jamais.

**7.45**   227 19th St

Ouvrier black, 30 ans, en tenue de chantier, son casque à la main. 5 *blocks*. 0 *tip*. Alors que je m'apprête à redémarrer après l'avoir déposé, il ouvre de nouveau la porte arrière et se précipite dans le taxi. Il commence à s'énerver. Il veut savoir où est son téléphone portable. Il l'avait en rentrant dans la voiture. Il en est sûr. Il ne le trouve plus. Qu'est-ce que j'ai fait de son téléphone ? Je lui dis calmement que je n'en ai aucune idée mais que je l'appellerai si je le retrouve. « Sur quel numéro ? » beugle-t-il avant de claquer la portière.

*6 $*

Puis, une heure et demie sans le moindre passager. Je m'arrête pour boire un *latte* et avaler une part de cake au citron dans un café de la 58$^e$ Rue. En ressortant, je trouve un flic debout à côté de mon taxi en train de me mettre un PV. Je ne comprends pas. Le panneau au bord du trottoir indique que le stationnement est autorisé à cet emplacement le week-end. Il est désolé, il a l'air sincère, mais les jours fériés ne sont pas considérés comme des week-ends. Et il n'a plus le choix, une fois qu'il a commencé à rédiger un PV sur son mini-ordinateur en bandoulière, il ne peut pas revenir en arrière. J'attends donc qu'il ait terminé en sirotant mon café au lait et repart avec 60 $ d'amende en poche.

Oh que cette journée s'annonce merdique !

**9.30** 92$^{nd}$ St & Madison Av
Femme et sa fille. 40 et 8 ans. Elles sont de passage en ville et vont prendre un petit déjeuner avec un vieil oncle new-yorkais chez Sarabeth's, salon de thé chic de l'Upper East Side.
*16,15 $*

Devant la pénurie de clients dans les rues ce matin, je décide de me rabattre sur les hôtels. Nouvelle expérience.

Je retourne devant le Hudson Hotel où j'avais pris les passagères précédentes. Il y a deux taxis devant moi. Je me gare et sors un bouquin : *Drinking with Men* de Rosie Schaap. C'est un roman autobiographique dans lequel l'auteure se raconte en prenant comme repères les bars qu'elle a fréquentés tout au long de sa vie, finissant elle-même barmaid à l'âge de 45 ans. Beau sujet de film. Pas de licence à passer pour les repérages mais dangereux pour la santé…

**9.50**  42 E 1st St
Couple triste, la trentaine, muet.
*24,10 $*

Cette course m'ayant amené Downtown, je me rabats sur le Soho Grand Hotel.

**10.14**  Christopher St & Bleecker St
Deux filles d'une vingtaine d'années, très parfumées, qui partent à un défilé de mode. Je me trompe de route. Elles s'en foutent.
*8,75 $*

Retour au Soho Grand.

**10.47**  609 Greenwich St
Jeune femme, 30 ans, outrageusement maquillée. Elle aussi se rend à un défilé. Je réalise tout à coup que c'est la *Fashion Week* de New York cette semaine. En arrivant, elle sort du taxi sans payer. Je la rappelle à l'ordre. « Oh mon Dieu ! Je pensais que j'étais dans un Uber. Je suis vraiment désolée ! ».
*8 $*

Je suis juste à côté du Gansevoort Hotel. Je me gare derrière deux autres taxis et reprends ma lecture. J'attends quinze minutes. Rien ne se passe. Tout à coup un autre *cab* se gare devant l'hôtel et charge des clients. J'hallucine. Je sors de ma voiture pour demander aux chauffeurs de tête pourquoi ils n'ont pas bougé. Les deux types dorment profondément ! Je prends la tangente.

**11.23**   182 Smith St / Brooklyn
Couple, 35 ans, qui va déjeuner à Brooklyn. Rare de passer le pont dans ce sens-là.
*32,19 $*

**11.45**   Bergen St & Borum Hill St / Brooklyn
Femme blanche. 50 ans. Revient de faire ses courses chez Trader Joe's (Supermarché bio et discount).
*6,35 $*

**11.55**   Barclays Center / Brooklyn
Deux femmes, la cinquantaine, qui partent voir un match des Islanders, l'équipe de hockey sur glace de Brooklyn, au Barclays Center.
*12 $*

**12.05**   49 Sidney Place / Brooklyn
Une femme noire, 45 ans. Un homme blanc, 50 ans. Elle habite Brooklyn. Lui vient de l'Ouest. D'un endroit où il y a des coyotes, des ours et des serpents. Il raconte qu'il doit s'armer de sa machette et de son flingue quand il sort ses poubelles.
*10,35 $*

12 h 30 : Pause déjeuner au Boom Wich sur Atlantic Avenue. Délicieux *Grilled Cheese Sandwich*. Je vais ensuite me prendre un café chez Bien Cuit sur Smith Street. Je ne résiste pas à leur tarte aux poires et aux amandes.

13 h 00 : *Back to work.*

**13.30**   26th St & 3rd Av
Femme. 40 ans. Muette.
*10 $*

**13.45**  Port Authority
Femme. 50 ans. Muette.
*10,55 $*

**13.50**  Aéroport JFK
Femme. 60 ans. Muette.
*69,99 $*

Il est 14 h 40. Il se met à neiger abondamment. Je décide de rentrer au garage en traversant le Queens. Belle balade. Pas de client.

Bilan de la journée : 14 courses
*214,43 $ – 153 $* (Location taxi) – *60 $* (PV)
*= + 1,43 $* !!!

## *Mercredi 17 février 2016*

Ce matin le dispatcheur est d'humeur bavarde. Il me demande si je suis content de mon premier mois de travail. Je lui explique que je commence à trouver un rythme de croisière mais qu'il y a encore des jours où il m'arrive de passer plus d'une heure sans charger le moindre client. Il me dit que depuis l'arrivée d'Uber c'est beaucoup plus dur. Les *yellow cabs* ont perdu en moyenne 40 % de leur business. « Avant, quand vous arriviez au garage, il y avait plus de chauffeurs que de voitures. Il fallait me glisser 20 $ pour espérer un véhicule et me remercier en plus. » Il se marre. « Aujourd'hui on vous offre du café et des donuts », conclut-il en pointant du doigt la table sur laquelle sont installés une cafetière et un panier de pâtisseries.

Départ du garage : 7 h 25

**7.45**  72 Front St / Brooklyn

Au coin de Park et de la 82ᵉ, je tombe sur un type de 45 ans avec ses deux fils. Il veut que je les dépose à l'école dix *blocks* plus haut et que je l'emmène ensuite à Brooklyn. Course de rêve. On parle tout au long du trajet. Il bosse dans l'informatique. Il est souvent en déplacement. Sa femme travaillait avant à Wall Street mais elle a dû s'arrêter pour s'occuper de leurs trois enfants. Il m'explique que les congés maternité ici à New York sont très courts et mal payés. Avant la naissance de ses fils, ils adoraient s'évader en amoureux à Paris, avec sa femme. Maintenant, quand il doit voyager, il fait toujours en sorte que ce soit le plus rapide possible. La semaine dernière, il est allé à Rome pour rencontrer des clients. Il est arrivé le matin à l'aéroport, a assisté à un *meeting* et a repris l'avion dans la foulée. Une heure de réunion, dix-huit heures de vol !

*48,35 $*

**8.42**  51ˢᵗ St & 5ᵗʰ Av

À peine ai-je déposé le passager précédent qu'un autre type me hèle. C'est un homme d'affaires d'une cinquantaine d'années. Il veut que je le conduise Uptown. Cette journée me plaît déjà beaucoup ! Il n'a visiblement pas envie de parler. Il se contente de se racler la gorge de manière répétitive.

*30,25 $*

**9.26**  61ˢᵗ St & 5ᵗʰ Av

Type jovial. 45 ans. Il me donne son adresse et engage la conversation. Il me raconte un récent

voyage en Islande. Les fjords, les volcans, les geysers, tout y passe. Il m'apprend aussi que la nourriture y est délicieuse. Ah bon ?
*14,16 $*

**9.40**  39th St & Broadway
Homme. 50 ans. Épais et barbu. Il passe le trajet au téléphone. Il donne des ordres de vente et d'achat sur des alcools rares. Il parle de bouteilles de whisky japonais à 15 000 $ et de rhum du début du siècle dernier à plus de 20 000. À l'arrivée, il me laisse 70 cents de pourboire.
*17,80 $*

**9.55**  13th St & Washington St
Chauve au crâne tatoué. À New York, le tatouage est devenu la norme. N'en afficher aucun est une forme de rébellion.
*11,80 $*

Je me poste devant le Gansevoort Hotel, après avoir vérifié que le chauffeur devant moi ne dort pas. Au bout de vingt minutes d'attente, un type sort avec une valise et s'engouffre dans mon taxi. Direction : La Guardia. Bingo !

**10.35**  La Guardia Airport
Homme. 45 ans. En partance pour Chicago. Il vient de déménager là-bas. Il adore cette ville, la proximité du lac, mais regrette la qualité et l'incroyable variété des restaurants new-yorkais.
*59 $*

**11.25**  31st St & Broadway
Alors que je rentre de l'aéroport en traversant le Queens, un Indien d'une cinquantaine d'années

me fait signe. C'est un ancien chauffeur qui a perdu sa licence et qui fait depuis un autre métier. La plupart de ses voisins conduisent des taxis et des Uber. Il se met à m'abreuver de conseils. Il m'explique par exemple où sont positionnés les inspecteurs du TLC. Comment les éviter, comment répondre à leurs questions... Il me raconte qu'une fois, juste après le passage de l'ouragan Sandy, alors qu'il déposait un passager à Grand Central Station, une femme black d'une quarantaine d'années lui a fait signe. Elle est montée dans son taxi et lui a demandé de l'amener à Red Hook, quartier de Brooklyn particulièrement touché par la tempête. Il a mis son compteur en marche et s'apprêtait à démarrer quand elle a sorti sa carte d'inspectrice du TLC. Elle l'a remercié avant de redescendre de la voiture. Elle voulait seulement s'assurer qu'il ne refuserait pas la course.
*25 $*

**11.50** 44 E 32nd St
Femme hyper speed. 35 ans. Elle se précipite dans mon taxi sans prendre le temps d'éteindre sa cigarette. Elle ouvre la fenêtre et continue à fumer frénétiquement. Je lui explique que c'est interdit et qu'on risque tous les deux d'avoir des problèmes si un flic la voit. Elle soupire puis balance sa clope dehors. Elle me supplie ensuite de la conduire à son adresse en moins de cinq minutes. Je lui dis que malheureusement le GPS indique seize minutes, ce qui est déjà pas mal pour trente *blocks*. Elle se met à gémir, au bord des larmes, et à répéter en boucle : « *Quick, please, quick.* »
*10 $*

**12.10** 1 W 129<sup>th</sup> St

Alors que je roule, les fenêtres grandes ouvertes pour essayer de me débarrasser de l'odeur tenace du tabac, j'aperçois une grosse mama black qui lève le bras de l'autre côté de la 2<sup>e</sup> Avenue. Elle est accompagnée d'un adolescent qui porte un casque de hockey sur glace sur la tête et se balance d'avant en arrière. Le môme, visiblement lourdement handicapé, est extrêmement agité et la femme a beaucoup de mal à l'installer sur la banquette arrière. À peine est-il entré dans le taxi qu'une odeur nauséabonde de merde envahit l'habitacle ! Après l'avoir attaché, la femme m'annonce une adresse que je ne comprends pas. Je lui fais répéter plusieurs fois. Il semble que ce soit 1 West 29<sup>th</sup>. Pas trop loin heureusement. À peine ai-je démarré que le gosse se met à se taper la tête contre la séparation. J'ouvre grand ma fenêtre et me concentre sur la route. Lorsque je me gare au coin de la 29<sup>e</sup> Rue et la 5<sup>e</sup> Avenue, la femme s'énerve. Elle avait dit 129, pas 29. Je m'excuse puis redémarre, réalisant alors que je vais devoir supporter cette odeur pendant encore cent *blocks*. Autant dire une éternité ! Une fois sur le West Side Highway, l'aide-soignante s'endort. Je regarde l'enfant dans le rétroviseur. Il est immobile, les yeux grands ouverts, et bave dans son casque.

*37,30 $*

Après les avoir déposés devant un centre pour enfants handicapés de Harlem, je vide la moitié de mon vaporisateur au citron, ouvre les fenêtres et redescends Malcolm X Avenue en direction de Central Park. Je vérifie aussi que mon enregistreur ne s'est pas décroché de la séparation sous les coups de casque du gamin. Il est toujours là. Le voyant clignote, imperturbable.

**13.15**   804 Lexington Av
Femme frisée. 35 ans. Au téléphone. Elle explique à son interlocuteur qu'elle a prévu d'aller dîner avec des potes de fac puis d'aller boire un coup avec eux. Ce dernier semble vouloir s'incruster. Elle le rembarre et lui conseille de prendre sa vie en main, de se trouver des amis. Elle ne peut pas le faire à sa place. Elle semble exaspérée, devient de plus en plus cassante et finit par : « Moi aussi je t'aime. » Elle raccroche, prétextant qu'elle n'a plus de batterie. Je lui propose mon chargeur. Elle me répond sèchement qu'elle n'en a pas besoin.
*20,15 $*

**13.55**   4 Monroe St
Femme black de 35 ans. Elle me demande de l'accompagner à Monroe Street. Je vérifie : « Comme Marilyn Monroe ? » Elle me fixe avec des yeux ronds. Visiblement ça ne lui dit rien. On s'engage sur le FDR. Elle se penche tout à coup vers moi et me demande si je serais disposé à lui donner un conseil. Bien sûr. Elle me raconte une histoire qui lui est arrivée la veille : elle loge depuis deux semaines, dans un petit appartement au-dessus de chez elle, un étudiant ami d'amis. Le jeune homme, la vingtaine, semblait très sérieux. Seulement voilà, hier soir, il est arrivé en courant poursuivi par quatre types. Elle me précise qu'elle

habite dans le Bronx. Son locataire a voulu se réfugier chez elle mais elle a pris peur et ne lui a pas ouvert. Du coup, il s'est fait casser la gueule. Quand la police est arrivée, les mecs ont expliqué qu'il avait agressé une de leurs copines un peu plus tôt dans la soirée. Le gars a eu beau nier, dire que c'était une erreur, qu'ils s'étaient trompés de personne, la femme ne sait pas quoi faire. Doit-elle le garder sous son toit ou le mettre dehors ? Qu'est-ce que j'en pense ? Qu'est-ce que je ferais à sa place ? Je lui propose de lui laisser une seconde chance. Elle me remercie et me laisse un bon pourboire.

J'adore l'idée de me transformer, le temps d'une course, en modérateur, conseiller conjugal ou psy, autre métier que j'aurais aimé exercer.

*13 $*

14 h 15 : *Lunch*. Succulent *Tokyo Shoyu Ramen* au bar d'Ivan Ramen.

**14.42** 80<sup>th</sup> St & York Av

Une femme et sa fille de 10 ans. Elles sont en retard à un cours de danse. La mère dit à la gamine de se changer dans la voiture. Elle refuse de peur que je ne la mate.

*23,15 $*

**15.12** 72<sup>nd</sup> & Park Av

Femme riche de 65 ans qui vient de rater son train pour les Hamptons. Elle a décidé de rentrer chez elle et partira peut-être plus tard en hélicoptère avec des amis.

*11,15 $*

**15.20** Penn Station
Homme. 40 ans. Il doit prendre un train. Il est en retard. Il y a des embouteillages. « Déposez-moi là ! » Il descend au coin de la 48ᵉ Rue, à quatorze *blocks* de la gare, et part en courant.
*15,35 $*

**15.40** 75ᵗʰ St & 5ᵗʰ Av
Très vieux monsieur. Élégant. Il me conseille de prendre la route qui traverse le parc. Il m'explique qu'il emprunte le même chemin tous les jours depuis quarante-cinq ans. Son bureau est au-dessus de Penn Station. Les dispatcheurs de la gare le connaissent tous. Dès qu'il se présente, ils bloquent les autres clients pour qu'il puisse monter dans le premier taxi de la file. Il a 90 ans et dix-neuf petits enfants. Tous habitent Upper East Side entre la 52ᵉ et la 96ᵉ Rue. C'est sa grande fierté. Quand on arrive devant son immeuble, un *doorman*, en frac, lui ouvre la portière et me glisse discrètement au passage un amical « *What's up buddy* ? », intraduisible en français parce que tellement propre à la familiarité américaine. On n'imagine mal en France un portier dire à un chauffeur de taxi inconnu : « Comment ça va mon pote ? »
*16,60 $*

**16.12** Park Lane Hotel (Central Park South)
Grec. 35 ans. Au téléphone.
*10 $*

**16.25** 66ᵗʰ St & 2ⁿᵈ Av
Sosie de Clotilde Courau. Glaciale.
*8,75 $*

Retour au garage : 16 h 50

Bilan de la journée : 18 courses
*371,81 $ – 146,27 $* (Location taxi) = *+ 225,54 $*
(Nouveau record !)

Cette journée, intense et riche en rencontres de toutes sortes, est passée sans que je pense une seule fois à mon film. C'est la première fois que cela m'arrive. Je me suis contenté d'enchaîner les courses, de discuter avec mes passagers et d'être le plus professionnel possible. Peut-être est-ce cela le film ? Une succession de rencontres, de portraits de New-Yorkais, de lieux, pour dire cette ville… Mais comment parler de New York sans y inclure la fiction ? Tout est fiction ici, *bigger than life*. Tout est référence. Chaque coin de rue est un décor, chaque passant un personnage. C'est aussi cela le thème du film. Mon héroïne se nourrit de l'énergie de New York pour entreprendre sa reconstruction comme elle aborderait un rôle.

*Vendredi 19 février 2016*

Je vais devoir interrompre mon quotidien de *taxi driver* pour rentrer en France quelques jours. Ce voyage est prévu de longue date. Après les vacances de Noël, j'ai ressenti le besoin de passer un peu de temps seul avec ma mère. Nous avons toujours été très proches et je sens qu'elle supporte mal la distance entre nous.

Lorsque nous lui avons annoncé, il y a deux ans, que nous avions décidé de partir vivre aux États-Unis, elle n'y a d'abord pas cru, a ensuite pensé que nous n'irions jamais au bout de ce projet fou puis a dû se rendre à l'évidence. Pendant les mois qui ont suivi, nos retrouvailles ont toujours été compliquées. Lorsqu'elle venait nous voir à Brooklyn, son enthousiasme, un peu forcé, était systématiquement contrebalancé par des remarques culpabilisantes. Lorsqu'à l'inverse c'était nous qui rentrions à Paris, elle nous reprochait de ne pas passer assez de temps avec elle et de la délaisser en faveur de nos amis ou du reste de la famille. Je pensais que cela s'arrangerait avec le temps mais, un an et demi plus tard, il faut se rendre à l'évidence, c'est de pire en pire. À sa décharge, ma décision de devenir chauffeur de taxi n'a pas dû l'aider à saisir les motivations profondes de mon départ.

En route pour Paris, je me rends compte que la dernière fois que je suis rentré, en dehors de Noël, c'était pour l'enterrement d'un ami. Je m'étais, à l'époque, fait la réflexion que c'était bizarre de revenir pour les morts, pas pour les vivants.

Je passe prendre ma mère chez elle et nous nous envolons pour le sud-ouest de la France. J'ai réservé un bel hôtel en pleine campagne. Nous passons cinq jours en tête à tête, à marcher, à bien manger, bien boire, et surtout à beaucoup discuter. Je profite de ce moment pour lui faire lire quelques pages du journal que j'ai tenu au volant de mon taxi. Elle est très touchée par ce récit et m'encourage. Elle semble mieux comprendre pourquoi je suis parti à l'autre bout du monde et comment j'essaie de me réinventer.

*Mercredi 24 février 2016*

De retour à New York, je décide de reprendre du service immédiatement et de passer aux *night shifts*.

Fini le doux luxe du Relais & Châteaux et les repas gastronomiques, je replonge dans le vif du sujet : Gotham City de nuit. Hâte de découvrir les noctambules new-yorkais.

J'arrive à 15 heures au garage en espérant pouvoir commencer avant 17 heures. Quand je débarque dans le bureau, je me retrouve seul avec le dispatcheur, perché sur son tabouret. Aucun autre chauffeur. Il me dit qu'il me donnera la prochaine voiture disponible. Il me propose de m'asseoir et de boire un café en attendant. Vingt minutes plus tard, un type arrive tout excité. Il nous annonce qu'un chauffeur de Uber a tué six personnes pendant le week-end. Il éclate de rire et me dit : « C'est bon pour nous ça ! » Il jette son journal sur le bureau. Je lis :

« Le chauffeur de Uber Jason Brian Dalton a d'abord ouvert le feu samedi à 12 heures sur le parking d'un lotissement dans le nord-est de Kalamazoo, Michigan, tirant à plusieurs reprises sur une femme accompagnée de ses trois enfants. Grièvement blessée, sa vie n'était pas en danger, les enfants n'ayant eux pas été touchés. Peu après 16 heures, il tire à nouveau sur le parking d'un concessionnaire automobile dans le sud-ouest de la ville, tuant deux hommes, dont un âgé de 18 ans. Entre dix et quinze minutes plus tard, une autre fusillade éclate sur le parking d'un restaurant non loin de là, tuant quatre femmes. Cheveux mi-longs poivre et sel, moustache et fine barbe, Jason Brian Dalton s'est rendu sans opposer de résistance à la police lors d'un contrôle routier dimanche au petit matin. »

Pas de doute, je suis de retour en Amérique.

Départ du garage : 15 h 25

**15.26**  31<sup>st</sup> St & 34<sup>th</sup> St / Queens

Alors que je sors du garage et que je n'ai même pas eu le temps d'allumer mon compteur, une jeune femme d'une trentaine d'années se rue dans mon taxi. Elle est essoufflée et me demande de la conduire le plus vite possible à Astoria dans le Queens. Hystérique, elle se met à parler dans son iPhone à son petit copain. Je comprends qu'elle vient de se faire licencier. Elle a échangé avec une collègue des mails insultants à propos de son patron et ce dernier a fini par tomber dessus. Il lui a annoncé au téléphone qu'elle était virée et qu'elle devait venir, dans la foulée, chercher ses affaires. Tout à coup, elle croise mon regard dans le rétroviseur et ferme violemment l'ouverture dans la séparation en plexi par laquelle le chauffeur et les passagers ont l'habitude de se parler. Je la dépose devant son (ex) bureau. Elle sort en trombe sans un mot.
*9,95 $*

**15.40**  93<sup>rd</sup> St & Broadway

Femme brune de 55 ans, avec un long manteau noir et des sacs de shopping. Elle reste silencieuse pendant tout le début du trajet. Au moment où nous traversons *Central Park*, je tente un classique « Vous habitez ici ? » Elle devient soudain loquace et me raconte qu'elle vit à Manhattan depuis toujours. Elle a vu la ville changer. « Pour le meilleur et pour le pire. » Elle regrette que les artistes n'aient plus les moyens d'habiter ici. Quand je lui confie que je suis réalisateur, elle sourit et dit que ça lui rappelle l'époque où les peintres, les écrivains, les poètes, les cinéastes étaient partout dans

la ville : « *A taste of old New York when people could be creative and drive a cab at the same time.* »
*19,55 $*

Je longe le parc. Des gamines s'amusent à me faire signe puis à partir en courant lorsque je mets mon clignotant.

**16.30**  96th St & 5th Av
Homme d'affaires, sec. Au téléphone. Il dicte à sa secrétaire un courrier à une vitesse vertigineuse. Il menace l'école de sa fille de les attaquer en justice car leur conseiller d'orientation a oublié de lui faire passer un examen et qu'elle risque de ne pas pouvoir entrer dans l'université de son choix.
*17,30 $*

**17.10**  Patsy's Pizza (118th St & 1st Av)
Vieille femme très chic qui me demande de la conduire à Spanish Harlem. Elle a rendez-vous avec son cousin, artiste de hip hop. Elle va dîner avec lui en cachette de son mari qui serait furieux s'il apprenait qu'elle s'aventure seule dans cette partie de la ville. Je lui promets de ne rien dire. Ça la fait rire. Cette « escapade interdite » à vingt *blocks* de chez elle ne la rassure pas complètement. Elle a peur de ne pas trouver de taxi en sortant. Je lui conseille d'appeler un Uber. Elle est hilare.
*19,80 $*

Le soleil s'est couché. La ville se retrouve, d'un coup, baignée d'une étrange lumière bleue qui s'intensifie et s'épaissit au fil des minutes. Comme si Bertrand avait glissé un filtre devant mon pare-brise…

**17.55** 72$^{nd}$ St & 2$^{nd}$ Av

Type invisible. Nouvelle impression. Je me rends compte que Manhattan est très peu éclairé. Au fur et à mesure que la nuit avance, ça devient de plus en plus compliqué de repérer les passants qui me font signe. Celui-ci est entré dans mon taxi sans que je puisse distinguer son visage et la séparation m'empêche de voir à quoi il ressemble. Pas rassurant.
*9,10 $*

**18.05** 122 E 66$^{th}$ St

Femme de 55 ans. Elle dit : « Ça sent bon le citron. » Le type d'avant puait le graillon, j'ai vaporisé.
*7,56 $*

**18.10** 1085 Madison Av

Mère et sa fille de 14 ans. L'adolescente chante pendant toute la course. Elles n'échangent pas un mot.
*8,15 $*

**18.25** 282 Bowery

Vieux monsieur de l'Upper East Side parti s'enca-nailler dans le Lower East Side. Sympathique mais complètement sourd. Dialogue compliqué.
*30,30 $*

**19.00** 17$^{th}$ St & Union Square

Homme. Au téléphone. Je comprends qu'il est écrivain et qu'il va bientôt sortir un nouveau roman. Plusieurs tentatives infructueuses pour essayer de voir son visage dans le rétroviseur. Il disparaît dans la pénombre sans que j'aie eu le temps de l'identifier… Jonathan Safran Foer ? Paul Auster ? Colum McCann ?
*10,55 $*

**19.13** Barrow St & Hudson St

Encore un que je n'ai pas vu. Il fait de plus en plus noir.

*17 $*

**19.30** 23rd St & 9th Av

Homme d'affaires qui se plaint des travaux permanents puis ajoute que, s'ils s'arrêtaient, la ville serait ruinée.

*8,75 $*

**19.50** Spring St & Thompson St

Black. 40 ans. Super looké. Il va rejoindre un pote dans un fumoir de Soho. On se met à parler cigare. Je lui conseille Diamente's, un endroit extraordinaire à quelques blocks de chez moi à Brooklyn. Un lieu hors du temps, avec de vieux fauteuils en cuir élimés, un éclairage tamisé et des photos jaunies de boxeurs aux murs. L'endroit est fréquenté en majorité par la communauté black de Fort Greene. Il faut apporter sa propre bouteille d'alcool car ils n'ont pas de licence. Eux vendent les cigares. À chaque fois que mon frère Julien me rend visite de France, nous nous réfugions là-bas, passant des heures à siroter du rhum jamaïcain, en fumant et en refaisant le monde... Mon passager note sur son iPhone les coordonnées de cet endroit qui a de grandes chances de devenir son adresse préférée de la ville. Il me raconte qu'il est DJ et bosse avec Shakira. Il est très actif sur les réseaux sociaux. Il a récemment reçu une caisse de Liga Privada (cigares très cotés aux USA) pour le remercier d'une photo qu'il avait postée sur Instagram. Il sort un barreau de

chaise de sa poche et me l'offre. « Faut que vous essayiez ça absolument ! » Grande classe.
*23 $*

20 h 10 : Je vais dîner dans une cantine chinoise de Chinatown, le Shangai Café, avec ma cousine Juliette, de passage à New York.

21 h 10 : Reprise.

**21.20** 19th St & 3rd Av
Femme aux cheveux rouges. 40 ans. Muette. Je digère.
*9,10 $*

**21.35** 57th St & 9th Av
Homme à capuche. 35 ans. Muet. Je bâille discrètement.
*8,50 $*

**21.45** 88th St & 2nd Av
Femme chargée d'une dizaine de sacs de courses. La plupart des magasins sont ouverts jusqu'à 22 heures à New York. En sortant, elle me dit : « *Drive safe* ». C'est une manière de me souhaiter simplement « bonne route » mais je pourrais aussi l'entendre comme un avertissement « faites attention, cette ville est folle et l'accident n'est jamais loin… » Je me rends compte que je n'y pense pas sérieusement. Je suis profondément optimiste. Ça me permet d'avancer. Par exemple, je n'imagine jamais que je n'arriverai pas à faire un film, que je ne pourrai pas le finir ou qu'il n'intéressera pas les gens. Je fais mes films et me dis que même s'ils n'ont pas toujours un succès immédiat, ils existent. C'est à la fin du bal qu'on paie les musiciens, non ?
*11,40 $*

**22.25** Greenwich St & Read St
Deux Japonaises qui me laissent un pourboire de
20 cents avant de s'engouffrer dans une luxueuse
boîte de nuit.
*22 $*

**22.45** 19th St & Park Av
Femme. 55 ans. Elle est au téléphone avec quelqu'un de malade, à l'hôpital semble-t-il. Tout à
coup elle se redresse et me demande de manière
très sèche pourquoi j'ai pris ce chemin. Je lui
explique : « Church, à droite sur Greene, à gauche
sur Grand puis Lafayette tout droit. » Elle me dit
qu'elle est new-yorkaise et n'aime pas se faire balader : « *I'm not an out of towner you know !* » Je lui
réponds calmement que j'ai fait de mon mieux
mais que si elle a un itinéraire préféré, je le suivrai
avec plaisir. Elle ne moufte pas. À l'arrivée, probablement pétrie de culpabilité, elle me laisse un
généreux pourboire de 10 $.
*20 $*

**23.00** 6th St & Avenue A
Jeune fille. Minijupe, bas résille et casque sur les
oreilles. Je la dépose devant Death & Company,
excellent bar à cocktails du East Village. Je suis à
deux doigts d'arrêter mon compteur pour aller
boire au bar un Hotel Nacional, une de leurs spé-
cialités à base de vieux rhum, de liqueur d'abricot,
de citron vert et de jus d'ananas…
*9,75 $*

Un couple s'engouffre dans mon taxi.

**23.15** 1st St & 2nd Av

Blacks qui sentent le shit. En rentrant le mec me lance : « Comment ça va, *brother* ? » Ils passent le reste du trajet à rire.
*9,56 $*

**23.30** 27th St & Park Av

Type, la quarantaine, très saoul. Il appuie sa tête sur la vitre arrière et ferme les yeux. Qu'il ne vomisse pas, qu'il ne vomisse pas, qu'il ne vomisse pas… Il ne vomit pas.
*9,30 $*

Les rues se sont vidées d'un coup. Je suis crevé. Je rentre.

Retour au garage : 0 h 10

Bilan de la journée : 21 courses
*280,62 $ – 162,02 $* (Location taxi) *= + 118,60 $*

## *Vendredi 26 février 2016*

Indigestion. Je suis obligé de rester à la maison, alité. J'en profite pour dormir un peu, bouquiner et téléphoner à ma mère. Puis j'ouvre mon ordinateur et tape dans mon moteur de recherche : « Taxi New York ». Suis-je en manque à ce point ? Je fais défiler les sites : le TLC bien sûr, de nombreuses agences de location de limousines, une page Wikipedia qui retrace l'histoire du *yellow cab* (la première compagnie a été créée en 1897), et je tombe finalement sur une émission de la BBC consacrée aux taxis new-yorkais. Je m'installe confortablement, enfile mon casque et lance le podcast : j'apprends que les chauffeurs de taxi ont trente fois plus de chances d'être tués et soixante-dix fois plus de chances de se faire braquer que n'importe quelle autre profession. Mais aussi que 80 % des chauffeurs sont musulmans. C'est un métier considéré comme *hallal,* contrairement aux barmans qui servent de l'alcool ou aux épiciers qui vendent des cigarettes, des billets de loterie ou des sucreries à base de gélatine de porc. Et puis, un chauffeur peut s'arrêter pour prier autant de fois qu'il veut dans la journée. Vient ensuite l'histoire de ce Pakistanais qu'on appelle *Candie Cab.* Après la mort de son jeune fils, il a décidé de distribuer des bonbons gratuitement aux passagers de son taxi, ne voulant plus recevoir aucune onde négative. Il propose même le week-end des trajets gratuits à ceux qui parviendraient à manger tout son stock avant d'arriver à destination. Il est depuis devenu une célébrité sur les réseaux sociaux.

Un des chauffeurs interviewé dit : « Les piétons nous détestent, les cyclistes nous détestent, les motards nous détestent, les chauffeurs de bus nous détestent, les routiers nous détestent, tous les conducteurs nous détestent, même les passagers nous détestent. Le seul moment où ils nous apprécient c'est quand il pleut ou qu'il fait très froid. »

Un autre raconte : « À la fin d'une course, un client a sorti un flingue et m'a dit : « Je suis fauché, j'ai besoin de fric, désolé, mec, t'as l'air d'être quelqu'un de bien mais j'ai vraiment besoin de ce fric… » Puis après un moment d'hésitation : « Tu ne veux pas m'acheter mon flingue ? »

Bonne idée de séquence où mon héroïne, après s'être fait braquer, se retrouverait avec une arme dans son taxi sans savoir comment s'en débarrasser. Classique mais efficace.

## Lundi 29 février

J'ai pris du retard sur la rédaction de mes notes. Je décide de suspendre la conduite et de me concentrer sur mon journal. Je reprendrai le volant après les vacances des enfants.

## Lundi 7 mars 2016

Le responsable du garage m'appelle pour me demander de mes nouvelles. Il me dit qu'il est inquiet de ne plus me voir. Il veut savoir quand je compte recommencer à travailler. Je lui réponds que mon « autre *job* » m'occupe à plein temps et que je serai de retour début avril.

## Mardi 8 mars 2016

Sortie en famille. Gad Elmaleh se produit, en anglais, dans un petit pub de l'East Village. Il a un sketch excellent sur les chauffeurs de taxi indiens à New York. Je me dis que ça pourrait être intéressant de l'intégrer au film. Il jouerait le rôle d'un Français de passage qui, pour séduire mon héroïne, se lance dans une imitation hilarante des autres *yellow cabs* de la ville. Il l'inviterait ensuite à dîner et lui proposer de laisser son taxi au voiturier du restaurant chic qu'il a choisi. Le type dirait qu'il est désolé mais qu'il n'a pas le droit de conduire ce genre de véhicule. Elle pourrait alors se faire enlever son taxi. Le temps qu'elle le récupère, Gad se serait volatilisé.

*Vendredi 18 mars 2016*

Dîner chez nos voisins. Je raconte mon expérience de *taxi driver.* Une des convives, petite souris frêle, prof de latin dans un lycée du quartier, me dit : « Moi je conduisais un bus scolaire quand j'étais à l'université. » Respect.

*Lundi 21 mars 216 – jeudi 31 mars 2016*

Parenthèse. Voyage hors du temps à Cuba. Il y a une nostalgie folle à La Havane. Vieux immeubles, vieilles bagnoles, soleil, rhum, cigares, musique partout. Et en même temps une vraie tristesse de voir tout un peuple coincé dans un système archaïque dont il semble beaucoup souffrir et auquel il ne croit plus depuis longtemps. Tristesse de constater que ce modèle qu'on aurait aimé voir fonctionner est un naufrage. À partir de juillet, le pays va s'ouvrir officiellement aux Américains (ils ont déjà prévu la création de trois Starbucks à La Havane !) mais malheureusement ça ne changera probablement pas grand-chose pour les Cubains. À part d'avoir un peu plus l'impression de vivre dans un zoo où les capitalistes du monde entier viennent observer les ruines du communisme… Les taxis là-bas sont au choix de vieilles Américaines datant d'avant l'embargo (1962) ou des Lada de l'époque soviétique. Les conducteurs de taxis clandestins sont des particuliers qui gagnent beaucoup mieux leur vie que ceux, souvent hautement qualifiés, qui travaillent pour l'État. À la fin d'une course l'un d'eux m'a confié : « C'est moi qui ai pratiqué les premières opérations à cœur ouvert du pays. »

## Lundi 4 avril 2016

Retour à New York.

En manque de cinéma, je vais voir *Back Home* de Joachim Trier. Sa narration très déconstruite est une bonne source d'inspiration pour mon film. Il faudrait commencer l'histoire au moment où l'héroïne décide de devenir *yellow cab* puis apprendre petit à petit son passé et les raisons qui l'ont amenée à New York par un système de flash-backs, le moins chronologique possible… Pendant le débat qui suit la projection, Trier raconte que son père était aussi cinéaste et qu'il avait un jour réalisé un film où les cinq bobines (à l'époque on projetait encore des bobines de 35 mm dans les cinémas) pouvaient être vues dans n'importe quel ordre. Ce serait intéressant de reprendre le même principe : écrire le scénario en cinq parties et essayer de les mélanger pour voir ce que ça donne.

## Samedi 9 avril 2016

Long trajet en voiture, Upstate New York, pour aller visiter Bard, une des universités où Philomène a été acceptée.

Nous reparlons avec Éléonore du film. Elle me demande quel en est pour moi le thème principal. Je réponds : « Comment réinventer sa vie. » Elle me fait remarquer, à juste titre, que nous avons déjà plusieurs fois traité ce sujet dans nos précédents films et qu'il serait plus intéressant d'aborder un nouveau thème : « Comment la fiction peut-elle nous aider à vivre ? » J'aime beaucoup cette idée. Ça me rappelle une séquence que nous avions écrite, en nous inspirant d'une pièce de Botho Strauss (*Les Semblables*), et qui devait être le début d'un film qui n'a jamais vu le jour. À un moment donné, le metteur en scène disait à son actrice :

« On n'est pas en état d'innocence. On n'est pas en état de grâce. On est en état de passion humaine. Tu comprends ? C'est ça ce qui nous sépare, nous là sur la scène, de nos semblables, dehors, dans le monde : leur manque de passion. Leur indifférence, brutale. Si tu es là c'est que le monde te rend folle, folle de rage, de chagrin, et que ton unique porte de sortie, c'est ça, être sur ce plateau, comme la dernière île habitée par des hommes, là où tu es à présent, avec tout autour le bruit de l'usine infernale des apparences… »

Le monde nous rend fou alors nous inventons des histoires, des personnages. Les rues de New York seront comme une scène géante où notre héroïne interprétera chaque jour son nouveau rôle : chauffeuse de taxi. Où cela la mènera-il ?

## *Lundi 11 avril 2016*

Reprise.

J'arrive au garage à 15 h 30. Avec un peu de chance je pourrai récupérer une voiture avant le *turnover* de 17 heures… Le bureau est rempli de chauffeurs en attente d'un véhicule. Je poireaute, bercé par le flot ininterrompu de la discussion des Africains. Quelle est la pire équipe de la NBA ? Pourquoi les immigrés ne sont acceptés nulle part dans le monde ? Est-il possible d'être musulman un jour sur deux et chrétien le reste du temps ? Un chauffeur de type hispanique entre dans la pièce. Il est très agité. Il se plante au milieu du bureau et se met à raconter une histoire qui vient de lui arriver : un Latino complètement bourré est entré dans son taxi et s'est mis à marmonner des insultes en espagnol. Le croyant au téléphone, il n'a pas réagi jusqu'au moment où le gars s'est avancé et a essayé de passer la tête par la séparation. Il se met à mimer la scène :

« Enculé ! Espèce d'enculé d'Indien qui ne sait pas conduire.

— Eh oh du calme, je suis pas indien, je suis portoricain, comme vous.

— Rien à foutre, enculé ! C'est mon anniversaire aujourd'hui. J'ai 47 ans.

— Joyeux anniversaire alors. Vous ne faites pas votre âge.

— Ah ouais ? J'ai passé dix ans en tôle et je viens de sortir, ce matin.

— Eh ben, chapeau, parce qu'il paraît que la prison ça abîme. Vous vous en sortez bien.

— Te fous pas de ma gueule, j'ai un flingue sur moi.

— Ah non, non, je suis sincère... Et vous avez prévu quelque chose pour votre anniversaire ? »

Il dit qu'il a continué à lui poser des questions sur son anniversaire pendant vingt minutes en prenant soin de ne jamais mentionner le flingue. Les vingt minutes les plus longues de sa vie.

Chacun y va de son commentaire.

Finalement, après une bonne heure d'attente, je me vois attribuer un taxi flambant neuf. Ça me change des sièges tachés et des amortisseurs pourris de la 14.

Départ du garage : 16 h 30

Je traverse le Queensboro Bridge. Nouvelle plongée dans les rues de Manhattan.

**16.40**   41 W 57<sup>th</sup> St
Femme blanche frisée. 30 ans. Muette.
*9,35 $*

**17.00**   Port Authority
Un homme très chic, une mallette en cuir à la main, qui sort d'une banque d'affaires de l'Upper East Side. Il est au téléphone. Il parle lentement, d'une voix très douce. Tout à coup, il fond en larmes en disant : « Non, maman ne sois pas méchante avec moi. Arrête de me laisser tous ces messages, je t'en supplie. »
*11,80 $*

Deux *blocks* après la gare routière, je suis témoin d'un accident spectaculaire : un vélo qui grille un feu se prend de plein fouet une remorque basse tirée par un 4 × 4. Le conducteur fait un vol plané et se retrouve de l'autre côté de la 9ᵉ Avenue. Il reste un moment immobile. Mort ? Le temps semble suspendu. Le feu passe au vert. Personne n'ose redémarrer.

Finalement le type se relève, comme au ralenti, indemne. Le flot de circulation reprend.

J'aimerais intégrer cette séquence, très cinématographique, au film. Nous nous étions dit, avec Éléonore, que notre héroïne pourrait avoir fui quelque chose, subi un traumatisme, perdu un être cher.

Peut-être dans un accident identique à celui-ci. On l'apprendrait par un système de flash-back ou de superpositions d'images.

**17.25**   244 Roebling / Brooklyn
Femme de 25 ans. Elle me demande de la conduire à Williamsburg, de l'autre côté du pont. J'engage la conversation : connaît-elle Shalom Japan ? Non. C'est un restaurant formidable, à un *block* de chez elle, tenu par un couple. Elle est japonaise, lui israélien. Ils sont tous les deux en cuisine et mélangent leurs recettes. Original et délicieux. Elle me promet d'essayer.
*23,15 $*

**17.55**   Fulton St & Flushing Av / Brooklyn
Black à chapeau. 40 ans. Muet.
*21,35 $*

**18.30**   Court St & 9th St / Brooklyn
Père de famille blanc avec ses deux petites filles métisses. Ils montent dans mon taxi pour échapper à une ondée passagère. Je les dépose trois *blocks* plus loin.
*7,25 $*

**18.35**   180 Montague St / Brooklyn
Femme. 40 ans. Dehors il pleut des cordes. Elle est ravie d'avoir trouvé un taxi libre et engage tout de suite la conversation. Elle est curieuse. Elle me pose des questions sur mon déménagement, ma famille, mes enfants. Je lui dis que ma fille entre à l'université l'année prochaine. « Quel genre d'université ? » Je sens dans le ton de sa question un soupçon de condescendance. Elle m'a demandé de la conduire à Brooklyn Heights, le

quartier le plus chic de Brooklyn. Elle doit habiter dans une de ces maisons particulières qui se vendent plusieurs millions de dollars. Je me retourne vers elle et lui annonce que Philomène vient d'être acceptée à Bard College. « *Oh my God !* C'est une très bonne université ! » Je jubile.
*19,25 $*

**18.55**  671 Manhattan Av / Brooklyn
Femme. 35 ans. Australienne. Le soleil est revenu. Nous partageons nos expériences d'expatriés. Elle vit à Brooklyn depuis six ans, a eu un enfant ici mais va devoir rentrer dans son pays natal si elle veut pouvoir en faire un deuxième. Élever des enfants dans cette ville est beaucoup trop cher. Elle est dépitée. Elle a peur que son métier de designer ne soit moins intéressant et surtout plus confidentiel. « Ici, quand je dessine un objet, il y a potentiellement 320 millions d'acheteurs, en Australie nous ne sommes que 20 millions ! »
*20,50 $*

Je décide de repartir à vide vers Manhattan. Un motard se gare à côté de moi. Il porte un blouson en cuir noir, un casque noir vintage et son visage est intégralement recouvert d'une cagoule noire. On voit à peine ses yeux. C'est très impressionnant. Image pour le film.

À l'entrée du Williamsburg Bridge, je charge un couple de touristes.

**19.25**  150 Delancey St (Holiday Inn)
Deux Polonais en goguette. *No contact.*
*13 $*

La rue où je dépose mes passagers, Delancey Street, était, dans les années 90, un alignement de boutiques de musique latinos et un repère de dealers de drogue. Lorsque mon père nous emmenait là-bas pour dégoter des CD de salsa introuvables ailleurs, ça nous paraissait le bout du monde. Aujourd'hui c'est une des destinations favorites des touristes et des flâneurs du dimanche.

**19.45** 116th St & 3rd Av
Gros type. Muet. La nuit est tombée.
*22 $*

**20.30** 10th St & 5th Av
Couple de trentenaires avec une valise. Ils parlent du nouvel appartement qu'ils viennent d'acheter près de Washington Square. Ils sont très excités.
*10,80 $*

**20.40** 7th St & Avenue C
Petite femme asiatique. 50 ans. Muette.
*8,30 $*

**20.55** 36th St & Park Av
Parents avec leur fille de 17 ans. Ils vont fêter un anniversaire chez Keens, excellent *steakhouse* de Midtown. Mais, visiblement, le cœur n'y est pas. Ambiance à couper au couteau.
*8 $*

21 h 15 : Je mange une salade dans mon taxi en feuilletant un livre sur Joël Pommerat, que j'avais glissé dans ma besace ce matin. Pour partir à Cuba, nous avons dû passer par le Canada, les vols directs depuis les États-Unis n'étant pas encore autorisés.

Nous en avons profité pour aller voir son dernier spectacle (*Ça ira (1) Fin de Louis*) à Ottawa. Une merveille. J'ai été très étonné de retrouver Éric Feldman, parmi les acteurs de la troupe. Nous avons passé six mois ensemble à étudier le cinéma à NYU, vingt-cinq ans plus tôt. J'ai cru qu'il allait s'évanouir quand je lui ai dit que je vivais maintenant à Brooklyn et que j'étais devenu chauffeur de taxi. Je reporte ici un texte de Pommerat qui m'accompagne et résume parfaitement pourquoi et comment je veux faire des films :

« Quand je me retourne et que je vois comment nous avons avancé et mûri, progressé dans notre pratique artistique, comment nous avons grandi, je suis assez fier car, peu à peu, nous devenons des artistes, nous travaillons à le devenir. Cette quête est faite de questions permanentes, de doutes et de remises en cause, de concentration, d'humilité mélangée à des instants de mégalomanie, tout un travail constitué de petits détails. Cette quête de devenir artistes, c'est exactement ce que je voulais quand j'en rêvais, et que je veux faire durer, entouré des gens qui m'accompagnent. C'est mon projet, c'est ça qui me pousse et me motive : « Devenir de mieux en mieux des artistes. » Cela passera forcément par des œuvres. Ces œuvres seront faites de notre regard en éveil sur la société humaine, sur nous-mêmes, mais aussi de notre exigence, de notre pratique au quotidien. »

**21.35** 22$^{nd}$ St & 1$^{st}$ Av

Couple de trentenaires avec une valise. Ce sont les deux mêmes qu'une heure plus tôt. Incroyable ! Il

y a 13 000 taxis et 8 millions d'habitants à New York. La probabilité de tomber sur les mêmes personnes, même en dix ans de service, est quasiment nulle. Ils n'en reviennent pas. On s'accorde sur le fait qu'on devrait tous les trois jouer au loto. À l'arrivée, je leur dis : « À demain. » Ça les fait rire. Je vois apparaître sur mon écran de contrôle un pourboire de 10 $ (énorme pour une course de 7 $). Ils ont sûrement dû se tromper. Je les préviens. Ils me répondent que c'est un moment exceptionnel et qu'il fallait marquer le coup.
*17,30 $*

**22.05**  86<sup>th</sup> St & Broadway

Une vieille bourgeoise de l'Upper West Side. Elle téléphone à son mari et met le haut-parleur. Elle lui raconte sa soirée au théâtre. Je suis aux premières loges. Elle est bouleversée par le spectacle qu'elle vient de voir. Il ne l'écoute pas.
*15,35 $*

Les trottoirs de Broadway sont déserts et l'avenue envahie par des dizaines de taxis libres. Avec leurs médaillons qui brillent dans la nuit, on dirait des fantômes dans une ville hantée.

Je suis sur le point de prendre la tangente quand une marée humaine surgit au coin de la 65<sup>e</sup> Rue. C'est la sortie du Lincoln Center. Soirée de gala à l'Opéra.

**22.25**  92<sup>nd</sup> St & Park Av

Un couple de septuagénaires s'engouffre dans mon taxi. Robe de soirée et smoking. Ils me jettent leur adresse à la gueule, se parlent comme des chiens et médisent sur les « amis » avec qui ils

viennent de passer la soirée. Tout à coup, le vieux dit à sa femme : « Attention, tu es enregistrée. » Mon sang se glace. A-t-il repéré mon micro ? Elle est furieuse, ne comprend pas de quoi il parle. Il lui montre son portable en lui disant que c'est une blague. Elle ne trouve pas ça drôle. Je les débarque avec plaisir.
*15,30 $*

**22.45**  Port Authority
Jeune homme qui sent la pisse.
*12,95 $*

Vaporisateur.

**23.05**  4045 Center Boulevard / Queens
Asiatique de 40 ans qui rentre chez elle après un long voyage à l'étranger. Je la dépose au bout de la 46ᵉ dans le Queens. La perspective de cette rue qui débouche sur l'East River, avec en fond la *skyline* illuminée de Manhattan, est à couper le souffle. Décor de rêve pour le film.
*20,75 $*

Je suis à quelques *blocks* du garage et décide donc de rentrer plus tôt que prévu. Les soirées sont particulièrement calmes le lundi.

Alors que je roule dans une rue déserte, un couple sort d'un bar et me fait signe.

**23.25**  178 Schaeffer St / Brooklyn
Ils ont une trentaine d'années. Elle est hispanique, bien en chair, plutôt sexy. Lui, le prototype du *bad boy* black. Il porte une casquette de rappeur, un jean qui laisse découvrir la moitié de son slip et des dents en or. Il me salue d'un « *hi buddy* »

et me donne une adresse au fin fond de Brook

Je consulte mon GPS qui m'annonce trente-cinq minutes de trajet. Je jette un coup d'œil dans le rétroviseur et me mets en route. Ils ont l'air tous les deux complètement défoncés. Ils parlent d'un de leurs potes qui vient de sortir de prison et qui a été arrêté quelques jours plus tard en possession d'une arme. Il l'embrasse, elle rit, commence à soupirer, il se penche sur elle, elle le repousse puis éclate de rire. Je jette un œil discret. Ils continuent sans se préoccuper de moi. Elle s'installe sur lui et soupire. Il fait des bruits de succion bizarre. Tout à coup, ils s'arrêtent. Elle dit : « Qu'est-ce qu'il va en penser ? » Il éclate de rire et l'attire de nouveau à lui. Ils sont de plus en plus bruyants, donnent des coups dans l'arrière de mon siège. Lorsque je roule, le bruit de leurs ébats est couvert par celui de la voiture, mais quand je m'arrête à un feu, difficile de faire comme si je n'entendais rien. J'hésite à mettre de la musique mais je me dis que ce serait encore plus gênant. Nous arrivons finalement à destination. Le compteur indique 21 $. Le type se redresse et nos regards se croisent. Il affiche un grand sourire, ses dents brillent dans la nuit. Que va-t-il faire ? Au mieux il disparaît sans payer, au pire il me braque… Finalement, il rajuste son pantalon, en extrait une liasse et commence à compter. Vingt-cinq fois un dollar. Il me tend les billets et sort. Je redémarre aussi sec.

*25 $*

Retour au garage : 0 h 10

Bilan de la journée : 18 courses
*281,40 $ – 153,02 $* (Location taxi) = *+ 128,38 $*

*Mercredi 13 avril 2016*

Avant de me lancer dans l'écriture de mon scénario, j'ai décidé de continuer les *night shifts* pendant quelques semaines et d'essayer d'interviewer des femmes chauffeuses de taxi. J'appelle Fatima. Je lui propose de prendre un café. Elle me dit de passer à l'école dans la matinée.

En regardant les stations défiler par la fenêtre de la rame de métro, je repense au premier jour où j'ai fait ce trajet, roulant vers l'inconnu, à la fois excité et nerveux.

Fatima me reçoit dans son bureau. Elle me demande si j'ai un problème, si j'ai eu un PV, si j'ai besoin d'un avocat... Je la rassure. Tout va bien. Je lui avoue alors que je suis réalisateur et que j'ai décidé de faire un film inspiré de mon expérience. Elle me regarde avec des yeux ronds et ne semble pas assimiler l'information que je viens de lui livrer. « Alors comme ça tu fais des films ? » Elle sourit, béate. « Oui, je suis réalisateur. J'ai déjà fait plusieurs films en France. » J'ajoute que j'aimerais interroger des chauffeurs et des instructeurs pour nourrir mon histoire. Surtout des femmes. Elle réfléchit. La seule à laquelle elle pense est l'instructrice qui m'avait donné la première leçon, la Française baba cool. Elle me dit qu'elle n'a jamais conduit mais qu'elle connaît plein d'anecdotes. Elle propose aussi d'en parler à Terry, le patron, et à son mari qui conduit depuis vingt-cinq ans. Je la remercie une fois de plus pour son aide. Elle me demande quand je pense faire le film. Au printemps 2017. Je lui dis que j'adorerais tourner dans leur école. Ça la fait rire. « *Why not !* »

Plus tard dans la soirée, nous allons dîner avec Éléonore chez Locanda Vini e Olii, restaurant italien de Clinton Hill. On parle du film en buvant du nebbiolo. Il est peut-être temps de donner un nom à notre héroïne. Je suggère Minnie, en hommage à Cassavetes, mais ce serait probablement plus un diminutif. Quel est son vrai nom ? Quel patronyme figure sur sa licence glissée dans la séparation en plexiglas du véhicule entre chauffeur et passager ? Éléonore propose Zoé, qui veut dire la vie en grec. Bon. C'est vrai que cette fille est en deuil et part refaire sa vie ailleurs. Et pour le nom de famille, j'ai assez envie qu'il y ait une trace de ma présence dans le taxi : pourquoi pas Benoit ? ZOÉ BENOIT. Adjugé. Adieu Minnie.

Puis nous commençons ce genre de ping-pong créatif que nous aimons tant. La parole est totalement débridée. Nous laissons libre cours à notre imagination. Nous n'hésitons pas à lancer des idées, bonnes ou mauvaises, qui font avancer notre réflexion commune. Et donc : Zoé et son mec étaient amoureux, avaient fait des films ensemble, pas d'enfant car ce n'était jamais le bon moment et qu'elle avait peur de rater quelque chose professionnellement. Leur dernier film, tourné en une dizaine de jours, à l'arrache, avait fait un flop lors de sa microsortie en France mais avait rencontré un succès fou dans les festivals indépendants américains. Zoé avait même reçu un prix d'interprétation à Tucson à l'Arizona Film Festival. Ils avaient donc décidé de tenter leur chance en Amérique, à New York. Ils s'étaient tous les deux inscrits à la loterie pour essayer de décrocher une carte verte. Et puis il est mort, dans un accident de scooter. Zoé a cru mourir elle aussi. Un mois plus tard une lettre est arrivée de l'ambassade des États-Unis. Elle a hésité, pensé la mettre directement à la poubelle, mais l'a finalement ouverte. L'administration lui annonçait qu'elle avait gagné. Elle a cherché dans le reste du courrier s'il n'y en avait pas une autre au nom de son amoureux. En vain. Zoé a éclaté en sanglots et a décidé de partir.

Le spectateur apprendra tout cela par bribes, souvent dans le désordre, dans les multiples flash-backs qui rythmeront le récit.

Je veux absolument qu'Éléonore joue le rôle de Zoé. Nous parlons de son jeu. J'ai envie qu'elle aborde ce rôle de manière différente, moins en contrôle. Il faudra qu'elle se serve des expériences d'actrice qu'elle a eues à New York depuis notre arrivée.

## Jeudi 14 avril 2016

Arrivée au garage : 15 h 30.

Le bureau est plein comme un œuf. Je m'installe sur une chaise pliante et prends mon mal en patience. Les discussions vont bon train entre les Africains. Ils parlent du pays avec nostalgie. Le caissier interpelle le dispatcheur :

« Pourquoi tu ne donnes pas la 5 ?

— Je la garde pour le Président.

— On ne sait même pas s'il viendra. Il a appelé ?

— Non mais s'il vient, il faut qu'il ait sa voiture. »

Je me rends compte que les types à qui il attribue des véhicules lui glissent tous quelques dollars. Je sors trois billets de ma poche et les pose négligemment sur son bureau. Je vois qu'il voit.

Un Noir, la cinquantaine, râblé et costaud, entre dans la pièce. Il salue tout le monde et va directement récupérer sa clé. C'est le Président. Une discussion surréaliste s'engage alors entre lui et le dispatcheur. Ce dernier voudrait savoir s'il peut lui trouver une deuxième femme. Pas de problème, rétorque l'autre. Il se tourne alors vers le reste des chauffeurs et leur demande si d'autres sont intéressés. Un plus jeune, avec un maillot de l'équipe de foot de la Côte d'Ivoire, dit qu'il voudrait bien avoir une femme mais pas de cette façon-là. Le Président éclate de rire. « Bonne chance ! » Il attrape le café que lui a servi un des gars et sort.

J'attends encore une heure avant de me voir attribuer une voiture. C'est un van qui pue le vomi. Pas le courage de passer mon tour.

Départ du garage : 16 h 50

**17.05**  82nd St & 2nd Av
Femme qui tricote. 35 ans. Muette.
*9,35 $*

**17.15**  113th St & Broadway
Femme. 45 ans. Ronde à lunettes. Muette. Ça pue vraiment dans ce taxi. J'ai honte.
*9,75 $*

**17.30**  54th St & Broadway
Femme, 50 ans, originaire de Baltimore. Elle trouve la vie parfois trop calme dans le Maryland et vient régulièrement faire le plein d'énergie à New York. Elle a aussi prévu un voyage à Paris en juin. Elle a déjà tout organisé. Dîner à la tour

Eiffel, déjeuner chez Guy Savoy et visite de Versailles. Elle me demande des tuyaux. Je lui donne des adresses de restaurants, de musées, de magasins... Ravie, elle me laisse 10 $ de pourboire et s'exclame en sortant : « *What a great trip !* »
*28 $*

**18.00** Penn Station
Homme d'affaires. 50 ans. Il part prendre un train pour Montauk, village de milliardaires à la pointe de Long Island. À New York, plus on est riche, plus on part tôt en week-end. Ceux qui arrivent à quitter Manhattan le jeudi après-midi sont tout en haut de l'échelle sociale.
*13,55 $*

La station de taxis devant la gare est pleine à craquer. Je me range dans la queue. Un flic me sermonne car je colle trop le véhicule devant moi. Je m'excuse. Il me laisse passer. Je lis *Time Out* en attendant le client. Dans les conversations volées que le magazine reporte chaque semaine, une femme dit à une autre : « On a pété le lit. Je te jure qu'on n'était pas en train de baiser, on commandait du bacon sur Internet ! »

**18.15** 465 Central Park West
Je charge deux Japonais d'une trentaine d'années. L'un d'eux me tend une carte de visite, sans un mot. Il s'agit d'un hôtel de l'Upper West Side. En quittant la station, je manque de renverser une fille à vélo qui a brûlé un feu. Furieuse, elle tape violemment sur mon capot. Je reste zen et redémarre en douceur. Un *block* plus loin, je regarde dans mon rétroviseur. Mes deux passagers se sont

endormis. À l'arrivée, ils me paient en liquide sans laisser de *tip*. C'est systématique avec les Japonais. J'enrage. J'apprendrai plus tard que le pourboire est considéré comme un signe de condescendance, une insulte, au pays du Soleil-Levant.

*21 $*

**18.45** 63$^{rd}$ St & Riverside Drive
Femme, brune, 55 ans, au téléphone. Elle confie à une amie que, depuis que son mari est mort, il y a quinze ans, dans l'effondrement des tours jumelles, elle n'a jamais réussi à retomber amoureuse. Elle jette des coups d'œil par intermittence dans le rétroviseur pour voir si je l'écoute. Je fais semblant de consulter mon GPS.

*12,35 $*

**19.00** 417 E 61$^{st}$ St
Homme, cheveux blancs, 55 ans, qui grignote des biscuits pendant tout le trajet.

*13 $*

**19.25** 75$^{th}$ & Columbus Av
Femme, blonde, 50 ans, en tenue de yoga.

*13,60 $*

**19.45** Carnegie Hall
Homme roux, 45 ans, très pressé. Embouteillages monstres. Je sens qu'il bouillonne en silence sur la banquette arrière. J'évite son regard dans le rétroviseur.

*9 $*

**20.20** 1172 E 23$^{rd}$ St / Brooklyn
Il fait noir. Je ne vois pas distinctement mon passager avant qu'il ne monte en voiture. Il me

donne une adresse que je ne connais pas. Je la
rentre dans mon GPS. Verdict : quarante-
cinq minutes. Le type remarque que je suis per-
plexe et me précise que c'est normal, nous allons
à Midwood dans le sud de Brooklyn. Il me
conseille de prendre l'Ocean Parkway. Nous rou-
lons pendant trois quarts d'heure en silence.
À l'arrivée, le compteur indique plus de 50 $. Il
paie et sort sans un mot. Je regarde autour de moi
et comprends que je suis en plein cœur d'un des
quartiers hassidiques de la ville. Les hommes sont
tous, sans exception, habillés de grands manteaux
noirs et sont coiffés de chapeaux ou schtreimels.
Les femmes portent des perruques et des longues
robes sombres. J'imagine l'un d'entre eux montant dans mon taxi et découvrant ma licence. Le
dernier Juif orthodoxe à qui j'avais donné mon
nom, dans un dépôt de meubles de Bushwick,
s'était exclamé : « *Oh mein Gott,* vous êtes un
Cohen ! », enchaînant sur une blague en yiddish.
J'avais fait semblant de comprendre, ri poliment
et m'étais éclipsé rapidement. Dans la religion
juive les Cohen ont un statut particulier car ils
étaient la première tribu d'Israël, la caste des
prêtres.
Je décide de rentrer à Manhattan en traversant
Park Slope afin de profiter de la clientèle des
restaurants branchés de la 7ᵉ Avenue. Voiture et
ventre vides.
*51,39 $*

**21.25** Nostrand Av & Atlantic Av / Brooklyn
Alors que je m'apprête à m'engager sur le Manhattan Bridge, un type d'une trentaine d'années me

fait signe. Il veut aller à Crown Heights. Je repars en sens inverse. Il me raconte qu'il suit des cours de journalisme à NYU. Je lui dis que j'ai moi aussi été étudiant là-bas, il y a deux décennies. À l'époque, ni lui ni moi nous ne nous serions aventurés dans cette partie de Brooklyn qui était un véritable coupe-gorge.

*15 $*

Je profite d'être du côté de Prospect Heights pour aller déguster mon *Miso Ramen* préféré chez Chuko à deux pas du Brooklyn Museum.

**22.10**  Hasley St & Howard Av / Brooklyn
Vieux Black à qui il manque la moitié du visage. Accident ou maladie ? Son élocution est chaotique. Je finis par comprendre son adresse mais ne sais absolument pas comment m'y rendre. Il me guide. Je m'adapte. « eff » veut dire *left*, « hiteu », *right*, et « scheite », *straight*. En route nous traversons un *project* (HLM new-yorkais). La police a installé dans la cour intérieure des immeubles des projecteurs ultra-puissants afin de limiter les agressions et les deals en tous genres. Nous nous arrêtons à un feu derrière un taxi dont le médaillon lumineux indique qu'il est libre. Quatre jeunes Blacks lui font signe, s'approchent et essaient d'ouvrir les portières mais le conducteur les a verrouillées. Il refuse de les laisser monter. Les types s'énervent, des insultes fusent. Le feu passe au vert mais ils continuent à s'accrocher aux poignées de la voiture. Le mec accélère et ils finissent par lâcher prise après avoir envoyé un violent coup de pied dans l'arrière du véhicule. Je me dis que je les aurais chargés sans

hésiter. Suis-je inconscient ? Ou seulement moins
raciste ?

*17,30 $*

Retour à Manhattan. Traversée du pont de Brooklyn. Je ne m'en lasse pas. Toujours la même émotion
devant le spectacle des gratte-ciels de Downtown qui se
reflètent dans l'East River alors que la statue de la
Liberté scintille au loin. D'habitude nous empruntons
le pont pour aller passer la soirée « en ville ». On aime
se dire, avec Éléonore, qu'on va dîner à New
York. Aujourd'hui, c'est particulier. C'est moi qui suis
au volant du taxi. Arrêt sur image. J'ai vécu ces dernières semaines en apnée, concentré sur un seul objec-
tif : conduire mes passagers à bon port. Et à ce moment
précis, suspendu au-dessus du fleuve, je suis pris de ver-
tige. Pas à cause des quatre-vingt-quatre mètres qui me
séparent de la surface de l'eau mais bien en raison de
cette situation dans laquelle je me suis mis, tout seul, et
qui me semble d'un coup incroyablement oppressante.
J'ai un mauvais pressentiment. Et s'il m'arrivait
quelque chose ? Un accident. Une agression. Je me sens
mal et pense à faire demi-tour pour rentrer au garage…
À peine suis-je sorti du pont qu'une femme lève le bras.

**22.40**  72$^{nd}$ St & 1$^{st}$ Av

Femme blanche. 65 ans. Poétesse. Elle me raconte
qu'elle sort d'une de ses trois réunions de poésie
hebdomadaires. Le principe est simple : l'entrée est
libre et chacun dispose de dix minutes pour lire sa
prose. Il y a des clubs comme celui-ci un peu partout en ville. Elle vient de prendre sa retraite de
professeur de littérature et s'est mise à écrire à plein

temps. Elle me raconte que son mari fait la même chose avec les *Comedy Open Mics*. Ce sont des scènes sur lesquelles peuvent se produire des comiques de tous horizons, et de tous âges. Il suffit de s'inscrire et d'attendre son tour. Ça a beaucoup de succès à New York. Je lui demande si son mari est comédien. Non, pas du tout, mais il a toujours aimé raconter des blagues. *No judgement* !
*18,80 $*

**23.15**  6 Time Square
Black, très élégant, qui sort d'un cocktail. Saoul mais digne.
*9,80 $*

Les rues sont bondées. Les noctambules ont remplacé les travailleurs du jour. Les piétons pressés ont laissé place aux couples qui flânent. Les écoliers en uniforme se sont transformés en adolescents fêtards. Malgré l'heure tardive, la ville continue de grouiller. Simone de Beauvoir disait : « Il y a quelque chose dans l'air de New York qui rend le sommeil inutile. »

**23.30**  21st St & 23rd Av / Queens
Allemand, 45 ans. Les parkings étant trop chers à Manhattan, il a garé sa voiture au fin fond du Queens. Long trajet dans les embouteillages. Il me raconte sa vie, moi la mienne. Il me dit que sa femme est écrivaine. Elle vient d'autopublier sur Amazon un roman qui ferait, d'après lui, un excellent film. Combien de fois ai-je entendu cette phrase ? Nous échangeons nos coordonnées. Quelques minutes après l'avoir déposé sur la 23e Avenue, je vois sur mon portable qu'il m'a demandé comme ami sur Facebook.
*34,10 $*

**0.10**  71st St & Ditmas Av / Queens
Très grosse femme en robe de soirée. 55 ans.
Muette.
*17,30 $*

Retour au garage : 0 h 40

Bilan de la journée : 19 courses
*293,29 $ – 168,71 $* (Location taxi) = *+ 124,58 $*

*Vendredi 15 avril 2016*

Sortie d'un déjeuner très arrosé avec Jean, mon oncle
d'Amérique, au Colonial, excellent restaurant vietnamien de l'Upper East Side qu'il a ouvert il y a une
vingtaine d'années. Pas le courage de marcher dix *blocks*
jusqu'à la station de métro. Je saute dans un taxi. Le
conducteur est un Pakistanais sans âge. Je lui pose
plusieurs questions avant de lui raconter mon projet de
film. À chaque fois que je dis que je suis moi aussi
chauffeur, j'ai le droit au même regard incrédule, parfois
amusé, dans le rétroviseur. Il me demande dans quel
garage je prends ma voiture. Cab Management
Corp. sur Jackson Avenue. Il me dit qu'il a travaillé pour
eux pendant plusieurs années mais qu'ils ont tout d'un
coup décidé d'augmenter leurs tarifs. Lui et ses compa-
triotes ont préféré aller voir ailleurs. Maintenant, il n'y
a plus que des Africains qui débarquent et ne se rendent
pas compte qu'ils paient 20 $ de plus par jour que dans
la plupart des autres garages. Eux les Pakistanais, les
Indiens et les Bangladais habitent tous à Jackson
Heights et se passent le mot, ce qui leur évite de se
faire avoir. Et moi, le seul chauffeur français de la ville,

j'imagine que là-bas il m'appelle *The French Pigeon* quand je tourne le dos.

## Samedi 16 avril 2016

Projection de *20 000 Days on Earth*, un documentaire sur Nick Cave et le processus de création dans lequel réalité et fiction se brouillent en permanence et s'entrelacent. Passionnant, superbement réalisé et absolument pas narratif. Nous décidons avec Éléonore que ce sera le film de référence pour notre projet. Nick Cave dit : « À un certain moment, nous aspirons tous à être quelqu'un d'autre. La plupart des gens peuvent y arriver d'une manière ou d'une autre, en parvenant à oublier qui ils sont. » Il conclut par : « L'endroit où l'imagination et la réalité se rencontrent, c'est là que je veux vivre. » Zoé, en se réfugiant aux États-Unis, essaie de devenir une autre personne. En faisant affleurer le passé par bribes, en ne distillant les informations qu'au compte-gouttes, en jouant sur ses mensonges aux passagers, on fera en sorte que le spectateur ne sache jamais vraiment ce qui est fiction ou réalité. Et finalement le sait-elle elle-même ? Ne trouve-t-elle pas un confort à injecter de la fiction dans sa réalité ? Sinon elle n'aurait pas choisi New York. C'est aussi pour cela que je veux mélanger des moments à la limite du documentaire et d'autres beaucoup plus mis en scène.

18 avril 2016 – 10 h 13
Benoit COHEN à Éléonore POURRIAT – « Mise en abyme »

Chérie,
J'ai eu une idée cette nuit :
Lorsque Zoé et son mec ont décidé de partir vivre aux USA, ce dernier a écrit un film pour elle. Un film qu'ils tourneraient ensemble à New York. L'histoire d'une actrice française qui débarque aux États-Unis pour vivre le rêve américain mais qui finit chauffeuse de taxi. Voilà pourquoi elle choisit ce métier en arrivant : pour faire son deuil, honorer sa mémoire, être près de lui, en espérant secrètement que ce projet pourra un jour exister. Elle en parlera plus tard au producteur qu'elle conduit à L.A. (c'est d'ailleurs à ce moment-là qu'on apprendra l'existence de ce scénario, surtout pas avant…). Et c'est peut-être pour cela, après avoir lu le script, que le type la rappelle alors qu'elle est sur le chemin du retour.
T'en dis quoi ?
Love u.

B.

18 avril 2016 – 10 h 42
Éléonore POURRIAT à Benoit COHEN – « Rep. : Mise en abyme »

Oui, pourquoi pas ; j'ai le cerveau branché sur ma réécriture, donc pas super élastique, mais j'aime bien l'idée.
Il faut quand même qu'on puisse croire qu'elle devient chauffeuse de taxi pour vivre puisqu'on ne connaîtra pas l'existence du script. Et si elle sait que c'est pour le rôle, elle n'est clairement pas dans le même état d'esprit que si c'est vraiment pour gagner sa vie.

Elle devient un personnage de fiction parce que ça ne vaut plus le coup d'être soi-même, c'est ça ? Dans la fiction, elle est près de lui, c'est un subterfuge qui lui permet de vivre encore un peu dans leur réalité, d'échapper au cauchemar de l'avoir perdu.

Elle arriverait comme exsangue à New York, et c'est la ville qui peu à peu lui redonnerait de l'énergie, referait battre son cœur. Ça peut être beau de voir comment la ville la réanime. Parce que ça fait ça quand même New York, un gros coup de speed !

À creuser.

Tu n'avais pas une caisse de bouteilles de chez Broc qui devait arriver aujourd'hui ? Et y a l'andouille qu'ont apportée Jean et Laurence aussi. Yummy. On peut goûter ça tout en discutant business.

Elé

## Mercredi 20 avril 2016

Après une matinée d'écriture, je pars en direction du garage.

Dans le métro, je me dis que c'est peut-être une des dernières fois que je fais ce trajet. Il va bientôt être temps de raccrocher les gants et de me lancer dans l'écriture du scénario.

Arrivée au garage : 14 h 30.

Je pensais être le premier mais il y a déjà cinq chauffeurs dans le bureau. Et à cette heure-ci, les voitures arrivent au compte-gouttes. La plupart des gars conduisent jusqu'à 17 heures pour gagner un maximum.

Résultat des courses, j'attends plus de deux heures ! J'ai l'impression qu'avec les beaux jours, il y a de plus en plus de monde au portillon.

Départ du garage : 16 h 40

Après cinq ou six passagers muets ou au télé-phone, je me rends compte que, pour la première fois, j'ai oublié de noter les détails des courses dans mon carnet. Mon esprit est-il déjà ailleurs ?

**19.20** 328 W 61st St

Femme très chic, la soixantaine. À peine montée dans le taxi, elle se confie. Elle a l'air chamboulée. Elle me raconte qu'elle a aimé un homme passion-nément pendant trente-cinq ans mais qu'il vient de la quitter pour une femme plus jeune. Elle est déses-pérée. J'essaie de la réconforter : « Vous avez la vie devant vous. Vous allez sûrement rencontrer quel-qu'un d'autre. » La femme me fusille du regard dans le rétroviseur et me répond sèchement : « Vous êtes idiot ou quoi ? Je ne retrouverai jamais quelqu'un comme lui. » Puis elle se tait. Les minutes qui suivent sont interminables… Pas de pourboire.
*18 $*

**19.55** 78th & Amsterdam Av

Blonde dans une robe à paillettes avec de gros seins de type siliconé. Je n'existe pas.
*15 $*

**20.10** 55th & Madison Av

Homme d'affaires déprimé. Il passe le trajet sur son iPad à soupirer.
*9 $*

**20.20** Wolcott St & Ferris St / Brooklyn

Hispanique d'une trentaine d'années. Elle semble étonnée que je sache comment me rendre à son adresse au fin fond de Red Hook. C'est le quartier

des anciens docks, au sud de Brooklyn. J'y vais souvent me balader et boire des coups chez Sunny's, un bar hors du temps, perdu au milieu de nulle part. Au moment de la tempête Sandy, l'endroit a été dévasté par les inondations, rayé de la carte. Les habitants du quartier se sont tous regroupés pour le reconstruire... Ma passagère me parle non-stop. Elle est survoltée et me pose mille questions sur Paris. À l'arrivée, elle me complimente chaleureusement : « Vous êtes le meilleur ! Le meilleur chauffeur de taxi que j'aie jamais rencontré ! Et vous savez quoi, je vais super bien vous payer, je vais vous donner un très gros pourboire et en plus je vais vous sucer. » Je me marre, croyant à une blague. Mais la fille insiste. Je lui dis que je suis très touché par sa proposition mais que je ne peux pas accepter. Elle attrape alors son téléphone : « Maman, je suis en bas, avec le meilleur chauffeur de taxi de New York, c'est un Français tu te rends compte, descends, comme ça tu verras comme il est beau... Je vais le sucer et lui donner un super pourboire. Apporte-moi 20 $ s'il te plaît. » Au bout de quelques secondes, la mère sort de l'immeuble. Elle tend un billet à sa fille et lui dit de faire vite car le dîner est prêt.
*50 $*

Pour me remettre de mes émotions, je m'installe au comptoir du Brooklyn Crab et commande un *Po'Boy* aux crevettes.

**21.40** Spring St & 6th Av
Couple qui sort d'un restaurant mexicain. Retour à Manhattan. Ils sont complètement obsédés par la nourriture et parlent pendant tout le trajet en détail de tout ce qu'ils viennent de manger.
*19,30 $*

**22.10**  21st St & 2nd Av

Passager dont je n'ai pas vu le visage. Il est agité, grommelle dans mon dos. Je lui parle, il ne me répond pas. Je regarde mon GPS, il reste neuf minutes avant d'arriver à destination. Je colle mon épaule contre la portière pour m'éloigner au maximum de l'ouverture de la séparation. J'ai l'impression de rouler au ralenti. Lorsque je m'arrête devant chez lui, le type sort sans prendre le temps de payer et disparaît dans la nuit. Je vérifie l'écran de mon ordinateur de bord et m'aperçois qu'il a réglé grâce à l'application Way to Ride. Ça fonctionne un peu comme Uber. Une fois dans le taxi, on tape sur son téléphone un code et le paiement se fait automatiquement. Plus aucun échange avec le chauffeur.

*24,10 $*

**23.00**  33rd & 9th Av

Transexuelle. Muette.

*19,80 $*

**23.30**  77th St & Madison Av

Homme d'affaires français hautain. Il me demande de le déposer au Mark, hôtel de luxe de l'Upper East Side. Je repère son accent et me mets à lui parler français. Il me demande comment je suis devenu chauffeur de taxi. Je lui raconte que je suis réalisateur et que j'ai fait plusieurs films en France. « Quel genre de films ?

— Des longs-métrages de fiction.

— Des films connus ?

— Euh… Peut-être avez-vous entendu parler de *Nos enfants chéris*. C'était une comédie avec

Romane Bohringer et Mathieu Demy. Ça avait bien marché à l'époque.

— Ça ne me dit rien. »

Il s'enfonce dans la banquette arrière et ne m'adresse plus la parole.

*31,50 $*

Je ne suis pas loin du pont. Je décide de rentrer.

Retour au garage : 0 h 20

Bilan de la journée : Je ne sais pas exactement combien de courses j'ai faites aujourd'hui mais je quitte le garage avec 115 $ en poche. C'est la première fois en marchant sur l'avenue déserte qui mène au métro que je me dis que je pourrais me faire dépouiller. Y a forcément des types qui savent que, toutes les nuits, des chauffeurs de taxi sortent des garages les poches pleines de billets verts. J'accélère le pas.

J'ai du mal à m'endormir ce soir… Je pourrais encore passer des jours, des semaines ou des mois à conduire mon taxi, à interviewer des chauffeurs, à lire des témoignages, à accumuler les anecdotes, mais je sens que le fruit est mûr. Tout au long de ces courses, de ces rencontres, de ces journées passées seul dans l'habitacle de mon *yellow cab*, le film a poussé en moi. Je sais maintenant ce que je veux raconter, comment je veux le raconter, et je dispose d'un matériau très riche, une mine de situations, de personnages et même de dialogues, comme jamais auparavant. Le moment est sûrement venu de m'enfermer dans mon bureau et de m'installer devant mon ordinateur. Et puis je me dis que si un jour je suis en panne d'inspiration, ou en manque, je pourrai toujours reprendre le volant.

### Lundi 25 avril 2016

Je fais quelques recherches sur Internet pour essayer de voir combien pourrait coûter une course en taxi pour aller de la côte est à la côte ouest. Je tombe sur une page du site de CNN intitulée : « Un voyage inoubliable en taxi entre New York et Los Angeles. » Un journaliste raconte l'histoire de deux copains, en quête de sensations fortes, qui ont arrêté un chauffeur pakistanais dans les rues du Queens et lui ont proposé de les emmener à Los Angeles en échange de 5 000 $. Après six jours de route, et quelques détours, ils sont arrivés sur Sunset Boulevard.

### Mardi 26 avril 2016

Ce soir, nous nous retrouvons à une cinquantaine dans un bar de Tribeca pour notre réunion mensuelle de French In Motion, une association de réalisateurs, producteurs et distributeurs français vivant à New York que nous venons de créer avec Nathalie, une amie productrice. Je rencontre Gaétan, un journaliste de *Télérama*. Je lui raconte mon expérience de *taxi driver*. Il me dit qu'il aimerait écrire un article dessus. Je lui propose de venir passer une journée avec moi dans mon taxi. Banco. Rendez-vous est pris pour le surlendemain.

### Jeudi 28 avril 2016

Me voilà de retour dans le Queens. Ma retraite aura été de courte durée et j'avoue que je suis assez excité de reprendre du service.

Nous nous retrouvons à 6 h 30 à la sortie du métro et marchons jusqu'au garage. Gaétan a prévu de se faire passer pour un jeune chauffeur en formation, d'enregistrer mes échanges avec les passagers et de prendre quelques photos. Une fois arrivé au bout de Jackson Avenue, je lui dis de m'attendre à l'extérieur le temps que je récupère la voiture. Quand j'entre dans le bureau, le dispatcheur m'accueille théâtralement : « Mon Dieu, Benoit ! Je suis désolé. » Je m'inquiète. Que s'est-il passé ? Il m'explique qu'il n'a pas de voiture pour moi aujourd'hui. Des agents du TLC sont venus faire une inspection dans la nuit et ont immobilisé huit véhicules (pare-chocs dévissé, rétroviseur fendu…). J'insiste en arguant que j'ai téléphoné la veille pour réserver ma place. Il me confirme que mon nom est bien sur la liste mais qu'il ne peut vraiment rien pour moi. D'autres chauffeurs, qui travaillent six jours par semaine et sont arrivés à 5 heures du matin, sont dans le même cas. Il me propose une voiture pour le *night shift*. Je ne peux pas lui dire qu'un journaliste m'attend à la sortie.

Je le salue et sors, penaud. Je rejoins Gaétan sur l'avenue et lui explique la situation. Nous décidons de retenter notre chance un autre jour de la semaine et allons boire un café au Court Square Diner, sous le métro aérien. Je lui raconte mes films, ma nouvelle vie, et comment j'en suis arrivé à conduire un *yellow cab*. Mise en bouche.

### Mercredi 4 mai 2016

Nouveau rendez-vous est pris avec Gaétan. À 3 heures du matin, le dispatcheur m'appelle pour me dire qu'il n'y aura pas de voiture pour moi aujourd'hui. Il me demande si je veux faire le *night shift*. Je ne peux pas. Il me raccroche au nez.

*Lundi 9 mai 2016*

Je retente ma chance. Mais cette fois-ci j'ai décidé d'y aller seul et de passer ensuite prendre Gaétan si je parviens à obtenir une voiture.

J'arrive au garage un peu avant 7 heures Dans l'entrée, je croise le patron qui m'accueille d'un « Regardez qui est là ! ». Le dispatcheur se marre et m'annonce, comme une victoire, qu'il a quelque chose pour moi ce matin.

Départ du garage : 7 h 10

**7.10**  155 Saint Nicholas Av / Brooklyn
Fausse course pour aller chercher Gaétan.
*21,80 $*

Je récupère Gaétan chez lui à Bushwick et nous nous dirigeons tranquillement vers Manhattan.

**7.40**  Canal St & Broadway
Une femme d'une trentaine d'années qui m'a appelé grâce à la nouvelle application (Curb) que les garages de taxis viennent de mettre en place pour essayer de résister à Uber. Quand j'arrive devant chez elle, elle hésite, voyant que j'ai déjà un passager à l'avant. Je lui fais signe de monter. Une fois à l'intérieur, on lui explique que Gaétan est mon stagiaire. La discussion s'engage rapidement. Elle est comédienne et répète la nuit à Bushwick, certains des autres acteurs ayant des jobs de jour.
Zoé l'écouterait parler de son métier de comédienne. La passagère lui dirait qu'elle a beaucoup travaillé en Europe, où le théâtre est souvent subventionné. Elle envie le système français, et pourtant elle continue de penser qu'en Amérique, les

gens sont plus curieux, ouverts aux projets les plus fous et qu'il y a une vraie contre-culture, une vraie résistance par rapport aux grosses productions. Zoé lui avoue qu'elle aussi a été comédienne, dans une autre vie. Ce à quoi sa passagère répond : « *Once an actress, always an actress.* » Actrice un jour, actrice toujours.
*24,95 $*

Deux jeunes filles me font signe mais baissent le bras et se précipitent vers un autre taxi quand elles voient Gaétan à l'avant.

**8.30**    200 West St
Femme d'affaires, stricte. Muette.
*9,96 $*

**9.10**    725 5th Av
Homme d'affaires, décontracté. Muet.
*22,45 $*

Nous déposons notre passager devant la Trump Tower. Je lève les yeux et essaie d'imaginer, en voyant ce building plaqué or, à quoi ressemblerait l'Amérique de Donald Trump. Même si les sondages donnent Hillary Clinton largement gagnante, tout est possible dans ce pays, le meilleur comme le pire.

J'imagine l'impact sur mes collègues chauffeurs, tous immigrés, venus des quatre coins du monde, avec ou sans papiers. Ce métier de *taxi driver* est un moyen d'intégration inespéré. La formation est rapide, pas trop chère, et il y a du travail pour tout le monde. La commission des taxis a même récemment proposé de supprimer le test d'anglais pour faciliter l'accès à la licence à n'importe quel nouvel arrivant. L'examen sera bientôt disponible en chinois, espagnol, hindi ou bengali. Le modèle de société que propose Trump est radicalement opposé à ce principe d'intégration.

Et nous, les moins vulnérables, que ferions-nous, s'il gagnait ? Retour en France ? Et quel message pour nos enfants qui voient et entendent ce milliardaire populiste assener son discours raciste, misogyne et homophobe sans aucun complexe ? Comment leur expliquer que, malgré l'obscénité de ses idées et de ses propos, il puisse devenir président des États-Unis ? Je frissonne. Heureusement nous n'en sommes pas là.

**9.45** 38<sup>th</sup> St & 7<sup>th</sup> Av

Un type, la cinquantaine, qui lance en rentrant dans le taxi : « *What are we up to here ?* » De quoi on parle ? Je démarre et lui explique que mon passager est là pour apprendre le métier. Du tac au tac, il me répond que je ferais bien de commencer par lui montrer comment enclencher le compteur. Oups. Je me marre et obtempère.
*21,96 $*

**10.10** N'importe quelle boutique H&M

Une femme black d'une quarantaine d'années s'engouffre dans la voiture et me demande de l'amener au magasin H&M le plus proche. Elle veut s'acheter des chaussures bon marché. Je mets Gaétan à contribution sur son iPhone pendant que j'essaie d'échapper aux embouteillages provoqués par les voyageurs qui sortent de Penn Station. Nous nous retrouvons sur la 8<sup>e</sup> Avenue. La femme est très agitée. Elle nous raconte qu'elle vient de se faire agresser par un des vendeurs du magasin où elle se trouvait et qu'elle n'a donc pas pu finir ses achats. Elle nous dit aussi qu'une attaque imminente va se produire dans le métro de New York, que les commerçants arabes rendent mal la monnaie et que la jeunesse d'aujourd'hui est complètement délurée et baise à tout-va. On passe à ce moment-là devant le nouveau Museum of Sex. Elle se met à maugréer, se demandant ce qu'ils peuvent bien exposer à cet endroit. Je lui suggère d'aller voir à l'intérieur une fois qu'elle aura trouvé ses chaussures. Elle éclate de rire et me dit : « *You're so fresh !* » À l'arrivée le compteur indique 7,30 $. Elle me donne 10, je lui rends 3. Elle sort et disparaît.

*7 $*

**10.30** American Museum of Natural History
Un couple de Français. Une mère et son fils de 18 ans. Ils débarquent de Tarbes. Première fois à New York. Ils parlent mal anglais et sont en panique.

*13 $*

**11.00** 57th & 10th
Un homme d'affaires (sosie de l'acteur Richard Griffiths) me dit qu'il est en retard et me demande de griller les feux. Je lui réponds que c'est impossible mais que je vais faire de mon mieux. Je zigzague sur Broadway pour essayer de gagner du temps. Un type à qui j'ai dû faire une queue de poisson un peu trop serrée me rattrape au feu suivant, ouvre sa vitre et se met à me hurler dessus : « C'était vraiment con ça ! » Je m'excuse

d'un geste de la main. Il est furieux : « C'était vraiment très très con ! » Je dis simplement : « Oui, c'était très con. » Il me fusille du regard, ne sachant pas bien si je suis sincère ou si je me fous de sa gueule. Heureusement, le feu passe au vert.

*10 $*

**11.20** 29ᵗʰ & Broadway
Femme, la cinquantaine, avec deux valises impression léopard.

*14 $*

**11.50** 72 Bond ou Bowne St ?
Homme pressé, 30 ans. Il veut aller à Bond Street. « Bond Street à Manhattan ou à Brooklyn ? — À Brooklyn ». OK. Il me demande combien de temps indique le GPS. Trente minutes. J'emprunte le FDR puis, à vive allure, le pont et m'engage dans Boerum Hill. Lorsque je me gare au coin de State Street et de Bond Street, le type se réveille : « Oh non, je vous ai dit Bowne, B-O-W-N-E, pas Bond Street », prononçant les deux noms exactement de la même manière… Je rentre la bonne adresse dans mon GPS, arrête le compteur et fonce. Nous arrivons à Red Hook dix minutes plus tard. Je m'excuse platement. Le mec me rassure : « *No sweat* », littéralement « pas de sueur », c'est-à-dire « Pas de soucis », j'adore cette expression !

*31 $*

J'entends les sirènes des bateaux. On est au bord de la mer. J'ouvre ma fenêtre en grand et prends une bonne bouffée d'air pur. Vers 30 ans, à Paris, j'ai commencé à avoir de l'asthme. J'ai dû ingurgiter pendant plus de quinze ans de la cortisone tous les matins pour éviter les crises. En arrivant à New York, j'ai senti que je respirais mieux. J'ai arrêté mon traitement. Depuis, plus de problème.

**12.25** Station de métro Borough Hall
Homme, 45 ans, égaré dans Red Hook, muet.
*11,60 $*

Après une pause déjeuner chez Hey Hey Canteen à Gowanus, Gaétan me demande s'il peut prendre des photos pour son reportage. Je pose donc devant mon taxi puis nous partons à vide vers le pont de Brooklyn pour qu'il puisse faire quelques clichés (un peu clichés ?) de moi au volant avec la *skyline* en fond.

**13.40** Brooklyn Bridge
Séance photo.
*10,80 $*

**13.50** Aéroport JFK
Homme d'affaires, 55 ans, muet, en partance pour le Canada.
*72,89 $*

Notre passager déposé au terminal 4 de JFK, je propose à Gaétan d'aller faire un tour au *Taxi Lot*. C'est le parking où tous les taxis font la queue avant d'être dispatchés sur les différents terminaux de l'aéroport. Première fois que je m'y aventure. D'habitude je repars à vide, pour éviter de passer deux heures à attendre, mais j'ai maintenant besoin de rencontrer des chauffeuses de taxi pour les interroger.

Quelques minutes plus tard, nous arrivons au parking. À l'entrée, sous une tente de fortune, une vingtaine de chauffeurs, agenouillés sur des tapis, font leur prière. Un peu plus loin, dans une sorte de bunker en béton, une cafétéria ultra-glauque dans laquelle des types épuisés boivent des cafés trop allongés, mangent de mauvais sandwichs et jouent leur recette de la journée aux cartes. Une grille sépare la salle du bar. Les toilettes des hommes sont prises d'assaut. Celles des femmes sont fermées à clé.

À l'extérieur sont entassés plus de deux cents taxis qui attendent leur tour. Nous commençons à arpenter les allées en essayant de repérer des chauffeuses. En vain.

Au bout de trois quarts d'heure, une voix dans un haut-parleur appelle le numéro de la ligne où nous sommes garés. Nous regagnons rapidement notre véhicule. En sortant, on nous attribue un numéro de terminal. Alors que toutes les voitures se dirigent vers l'aéroport, nous suivons le panneau *Exit Airport*. Je pense au chauffeur derrière nous qui doit me prendre pour un fou.

Retour au garage : 16 h 30

Bilan de la journée : 14 courses
*271,41 $ – 143,64 $* (location taxi) – *32,60 $*
(fausses courses) = *+ 95,17 $*

## *Mercredi 11 mai 2016*

Dîner mexicain chez ABC Cocina avec Thibault, un copain acteur en tournée à New York. Je lui raconte mon expérience en détail. Il est surexcité par ce qu'il voit comme une métaphore du métier de scénariste et de réalisateur. À chaque nouveau client s'ouvre le champ des possibles, l'imaginaire est libre de passer à gauche, à droite, de prendre soudain un pont, comme autant d'ellipses et d'accélérations. Il imagine mon pare-brise comme un écran de cinéma sur la ville, un format scope tout trouvé. Je pourrais filmer de l'intérieur du taxi des personnages au bord de mon cadre, comme dans les duels des westerns. Il me parle de *Mulholland Drive* de Lynch, de *Crash* de Cronenberg... Toujours aussi passionnant de discuter avec lui. La margharita coule à flots jusque tard dans la nuit.

Nous rentrons à Brooklyn en taxi. Je me retrouve sur le siège avant et discute avec le chauffeur. Je lui pose une série de questions sur son métier. Il me prend, de toute évidence, pour un touriste curieux, intrigué par l'exotisme des *yellow cabs*, jusqu'au moment où je sors ma licence. Je lui raconte mon histoire et lui demande s'il connaît des *female drivers*. Il me répond que la personne avec qui il partage sa voiture est une femme. Bingo ! Je note mon numéro de téléphone sur un morceau de papier. Il va lui demander de m'appeler. Promis. Il s'appelle Alex. Cela fait dix ans qu'il conduit dans les rues de la ville. Je lui propose de l'interviewer lui aussi. Il est partant. Avant qu'on se quitte, il me confie que pas plus tard que cet après-midi, il est tombé sur une vieille milliardaire de l'Upper East Side qui lui a proposé de s'arrêter pour manger une glace puis de monter chez elle. Il a poliment décliné : « Merci mais je commence tout juste ma journée. Je dois gagner ma croûte. — Ah mais je

vous paierai ! Combien vous gagnez en une journée ?
Je vous donne le double. »

### Mercredi 18 mai 2016

L'article de Gaétan paraît dans *Télérama*. C'est un grand papier. Mon histoire accompagnée de quelques photos. Des personnes en France qui ne savaient pas que j'étais devenu chauffeur de taxi se manifestent. Le premier à m'envoyer un mail est mon banquier parisien. Il me félicite. Il est très content de ma réussite outre-Atlantique. Le journaliste ayant précisé que je gagnais en moyenne 100 $ par jour, je me dis que c'est forcément du second degré. Mais non, il est sincère. Le fantasme de cette nouvelle vie dans les rues de Manhattan lui a fait oublier la réalité financière. Un autre m'écrit : « Je comprends maintenant encore mieux pourquoi je suis ton ami. » Depuis deux ans, beaucoup de gens se posaient des questions. Ils avaient senti que j'étais enthousiaste, que cette ville me rendait heureux, mais ils se demandaient ce que j'y faisais concrètement. Où cette lubie, ce caprice, allait me mener ? Ils ont maintenant un élément de réponse.

### Vendredi 20 mai 2016

Presque un an jour pour jour après que nous avons eu l'idée, avec Éléonore, de me transformer en *taxi driver*, nous descendons Lafayette Avenue en direction des salles de cinéma du BAM. Au programme ce soir : *Miles Ahead* de Don Cheadle. Il fait doux. Le soleil s'est déjà couché et le ciel rougeoie. Je lui confie que je viens de passer la semaine à faire le tri dans mes notes, à écouter les enregistrements que j'ai effectués dans mon taxi et à sélectionner les moments qui me semblent les plus intéressants. Un premier déroulement s'esquisse et le personnage de Zoé prend forme. Je la sens réservée. J'essaie de comprendre. Elle m'avoue qu'elle croit de moins en moins à cette histoire de *taxi girl* telle que j'en parle pour le moment. Elle s'explique : « J'ai l'impression qu'il faudrait que tout cela soit moins linéaire, comme une rêverie ou un fantasme de réalisateur. D'un point de vue de scénariste, je n'ai pas très envie de raconter au premier degré comment cette Française est devenue chauffeuse de taxi, ni pourquoi. Enfin pas seulement. Je la vois plus comme un moyen d'exprimer la ville. Un vecteur. C'est New York le personnage principal, pas la fille. En te disant ça, j'ai conscience du paradoxe – mais j'y ai toujours été confrontée dans notre travail commun : scénariste, je suis aussi l'actrice qui te demande de ne pas avoir le premier rôle ! J'ai l'impression que ce film doit être plus intime, que tu dois te livrer et donner à voir tes tergiversations d'artiste, te mettre en scène, toi Benny from Brooklyn… Nous avons évoqué un film qui traiterait de la frontière entre fiction et réalité, alors il faut peut-être l'assumer dans la forme, se permettre des allers-retours entre l'embryon de film, le film fini, le film rêvé, la matière documentaire de tes journées au volant… Évidemment l'histoire de la fille émergerait de tout ça, mais ce serait plus complexe et plus en accord avec notre sujet : New York ville fiction. »

Je suis un peu sonné. J'essaie d'argumenter, de défendre l'idée de départ mais je sens que ce qu'Éléonore vient de me dire rejoint mes intuitions. L'écart entre la force de ce que j'ai vécu au quotidien et cette histoire fabriquée de toutes pièces est flagrant. Oui le réel est plus fort que la fiction. Je me suis accroché à cette héroïne parce que je crois à notre travail ensemble. Je continue de vouloir écrire avec Éléonore et la retrouver devant ma caméra. Je pense d'ailleurs que rien ne nous empêche de conserver cette alchimie. J'imagine qu'à chaque fois que le narrateur/réalisateur, au volant de son taxi, pensera à son film, on la verra à l'écran. Elle sera l'actrice du film dans le film. Une mise en abyme qui colle bien avec le sujet. On pourra s'amuser à changer ses coiffures et ses costumes au gré de l'imagination du scénariste/*taxi driver*. Elle sera aussi la femme du réalisateur. On la verra dans la « vraie vie » avec les enfants, le quartier, ses problématiques, et on la retrouvera au milieu du désert au volant de son *yellow cab*.

Pendant la projection du film, bercé par la trompette de Miles Davis, je repense à ce qu'Éléonore vient de me dire. Bien sûr qu'elle a raison. Il faut que j'arrête de me cacher derrière le personnage de Zoé et que j'accepte de raconter ma propre histoire. Il m'était impossible pendant que je vivais cette aventure de l'envisager de cette façon, j'avais besoin de dissocier le réel de la fiction, mais maintenant que j'ai fini de conduire, je ne dois penser qu'à mon film. J'ai essayé d'inventer des histoires pendant plus de vingt ans. Je ne sais pas si j'ai vraiment réussi, ce n'est pas à moi de le dire, mais ça m'a plu… En arrivant ici, j'ai senti le besoin d'autre chose. Je me suis retrouvé dans une nouvelle position. Celle de l'immigrant. Un immigrant aisé, certes, mais un immigrant quand même. Situation que je n'aurais jamais cru expérimenter il y a encore quelques années. Ce que traverse un chauffeur de taxi étranger lorsqu'il est plongé dans la fourmilière d'une mégapole comme New York touche à l'universel. Et c'est de ça que je veux parler. Ce que j'ai vécu pendant ces quelques mois a été tellement riche : l'envers du rêve américain, la lutte des classes, l'immigration, le déracinement, l'endurance, l'humilité, la tolérance, l'injustice, l'exil, la peur, la violence, la solidarité, la folie, la diversité, l'abondance, la pauvreté, la beauté, l'ivresse, l'ennui, le partage, l'époustouflante vitalité de cette ville.

*Lundi 23 mai 2016*

Pour passer inaperçu, j'ai fait croire à tout le monde, pendant des mois, que j'étais un « *writer* », un écrivain. Et c'est, aujourd'hui, deux cents et quelques pages plus tard, en train de devenir une réalité. Cette expérience, en plus de changer mon rapport au monde, m'a permis de me lancer dans ce projet d'écriture que je n'aurais jamais osé envisager si ça n'avait pas été sous prétexte d'écrire un scénario.

Le chamboulement que cette aventure a provoqué en moi, les réflexions qu'elle a fait naître, les doutes, toutes les certitudes remises en cause, le sentiment de liberté retrouvée, l'impression d'avoir repoussé les limites, déplacé les frontières, et tous ces souvenirs qui ont rejailli tout au long du chemin, me font repenser à cette réflexion de Thibault quelques jours plus tôt : « Au fond, ce taxi c'est un peu ta recherche du temps perdu. »

### Samedi 4 juin 2016

Je sors vers minuit du Pok Pok, restaurant thaïlandais de Brooklyn, et m'engouffre dans un taxi. Le chauffeur n'a aucune idée de comment se rendre à Fort Greene. Il essaie d'entrer mon adresse dans son GPS mais se trompe à plusieurs reprises d'orthographe. Il finit par se tourner vers moi, me tend son téléphone et me demande d'écrire moi-même le nom de ma rue. Il me dit : « *You're my lucky customer* » ; ce qui veut dire, en jargon de chauffeur, que je suis son premier client. Il me raconte qu'il a reçu sa licence le jour même et qu'il vient de louer son véhicule à quelques *blocks* de là dans un garage du coin. Il est extrêmement fébrile. Je compatis. En arrivant à destination, il ne sait pas comment arrêter son compteur. Il panique. Je me penche au-dessus de son épaule et lui montre la marche à suivre. Appuyer d'abord sur la touche T puis la touche H. Il est stupéfait. Je sors ma licence. Le type n'en croit pas ses yeux. Il se souviendra longtemps de son premier passager. *Lucky driver !*

# Les restaurants et les bars
## croisés sur ma route
### (par ordre d'apparition)

**Uncle Boons** *** : Thaïlandais – 7 Spring Street (Nolita) – 646 370 6650 – $$$

**Mission Chinese Food** **** : Chinois – 171 East Broadway (Lower East Side) – 212 432 0300 – $$

**Attaboy** **** : Bar à cocktails – 134 Eldridge Street (Lower East Side) – 855 877 9900 – $$

**Katz** ** : Delicatessen – 205 East Houston Street (Lower East Side) – 212 254 2246 – $

**Roman's** **** : Italien – 243 Dekalb Avenue (Fort Greene/Brooklyn) – 718 622 5300 – $$$

**Emilio's Balato** ** : Italien – 55 East Houston Street (Nolita) – 212 274 8881- $$$

**Smith & Mills** ** : Américain – 71 North Moore Street (Tribeca) – 212 226 2515 – $$

**Chipotle** * : Fast food mexicain – Plusieurs adresses – $

**Luke's** *** : Sandwichs au homard – Plusieurs adresses – $$

**St Ambrœus** ** : Italien – 1000 Madison Avenue (Upper East Side) – 212 570 2211 – $$$$

**Momofuku Noodle Bar** **** : Asiatique – 171 1$^{st}$ Avenue (East Village) – 212 777 7773 – $$

**Saigon Vietnamese Sandwich** ** : Vietnamien – 369 Broome Street (Little Italy) – 212 219 8341 – $

**Café Habana** ** : Cubain/Mexicain – 17 Prince Street (Nolita) – 212 625 2001 – $

**Momofuku SSAM Bar** **** : Asiatique – 207 2$^{nd}$ Avenue (East Village) – 212 254 3500 – $$

**Westville** ** : Américain – Plusieurs adresses – $

**Russ & Daughters Café** **** : Europe de l'est – 127 Orchard Street (Lower East Side) – 212 475 4880 – $$$

**Sarabeth's** \*\* : Salon de thé – Plusieurs adresses – $$$

**Bien Cuit** \*\* : Sandwichs – 120 Smith Street (Cobble Hill/Brooklyn) – 718 852 0200 – $

**Ivan Ramen** \*\*\* : Asiatique – 25 Clinton Street (Lower East Side) – 646 678 3859 – $$

**Diamante's** \*\*\*\* : Cave à cigares/Fumoir – 108 South Oxford Street (Fort Greene/Brooklyn) – 646 462 3876 – $

**Shanghai Café** \*\* : Chinois – 100 Mott Street (Chinatown) – 212 966 3988 – $

**Shalom Japan** \*\*\*\* : Israélien/Japonais – 310 South 4th Street (Williamsburg/Brooklyn) – 718 388 4012 – $$$

**Death and Co** \*\* : Bar à cocktails – 433 East 6th Street (East Village) – 212 388 0882 – $$

**Keens** \*\*\*\* : Steakhouse – 72 West 36th Street (Midtown) – 212 947 3636 – $$$

**Locanda Vini e Olii** \*\*\*\* : Italien – 129 Gates Avenue (Clinton Hill/Brooklyn) – 718 622 9202 – $$$

**Chuko Ramen** \*\*\* : Asiatique – 565 Vanderbilt Avenue (Prospect Heights/Brooklyn) – 347 425 9570 – $$

**Sunny's** \*\*\*\* : Bar – 253 Conover Street (Red Hook/Brooklyn) – 718 625 8211 – $$

**Brooklyn Crab** \*\* : Fruits de mer – 24 Reed Street (Red Hook/Brooklyn) – 718 643 2722 – $$

**Le Colonial** \*\*\* : Vietnamien – 149 East 57th Street (Upper East Side) – 212 752 0808 – $$$$

**Court Square Diner** \* : Américain – 4530 23rd Street (Long Island City Queens) – 718 392 1222 – $

**Hey Hey Canteen** \*\*\* : Asiatique – 400 4th Avenue (Gowanus/Brooklyn) – 646 491 7946 – $$

**ABC Cocina** \*\*\* : Mexicain – 38 East 19th Street (Flatiron) – 212 475.5829 – $$$

**Pok Pok NY** \*\*\* : Thaïlandais – 117 Columbia Street (Red Hook/Brooklyn) – 718 923 9322 – $$